PREFACE.

ONE of Schiller's dramas is usually chosen as an introduction to the study of the German classics, and to serve this end the present edition of 𝔐𝔞𝔯𝔦𝔞 𝔖𝔱𝔲𝔞𝔯𝔱 has been prepared. In writing the grammatical and lexical notes I have, accordingly, intended to give aid whenever the pupil, who knows the ordinary facts of German grammar, would be puzzled in making a correct and felicitous translation. On the other hand I have aimed to avoid giving an amount of assistance that will lead him to rely upon the notes, rather than upon a careful and intelligent use of one of the ordinary dictionaries. Often a grammatical reference has been given and the pupil has been left the valuable exercise of working out the translation for himself. As far as practicable, the grammars by Brandt, Joynes-Meissner and Whitney have been cited in each instance. The biographical and historical notes have been made somewhat full, in order that the student may see, not how far Schiller has followed the facts of history, but, what is of vastly more importance, how he has employed or transformed the facts to suit his artistic purpose.

In the Introduction I have attempted to put the pupil in possession of the material necessary for the appreciation of the drama as a work of literary art, and have particularly sought to show that it fulfills the essential requirements of tragedy. No biographical sketch of the author however has been undertaken, for anything within the scope of this volume is supplied equally well by any one of several encyclopedias.

The text is a reprint of Boxberger's, as contained in Volume 122 of Kürschner's Deutſche National=Litteratur. In the Introduction and Notes I have intended to acknowledge each instance of particular indebtedness. The commentaries of Düntzer, Bellermann and Fielitz, as well as the editions by Boxberger and Heskamp, have been frequently consulted, and have often been suggestive when it has not been possible to trace my specific indebtedness.

For constant encouragement and helpful advice in the preparation of the volume, I desire to thank Professors Calvin Thomas, George Hench, F. N. Scott and Alexander Ziwet of the University of Michigan. The notes were read in part by Miss May Carpenter and others. My special thanks are also due to Professor R. W. Deering of Western Reserve University, and to Dr. H. P. Jones of Cornell University, who have kindly read the proof sheets, and offered valuable suggestions.

LEWIS A. RHOADES.

ITHACA, January, 1894.

INTRODUCTION.

I.

COMPOSITION OF THE DRAMA.

SCHILLER had no sooner completed Wallenſtein than he began to feel the need of some new dramatic project. March 19, 1799, he writes [1] to Goethe, that without the incentive of a definite purpose, he is incapable of any work, and adds: "I shall not be contented till my thoughts are again fixed with hope and enthusiasm upon some definite subject." The historical material however had been such a source of difficulty, that he inclined toward a subject of his own invention, and desired Goethe's advice, that he might not make a mistake in his choice.

What plans Schiller had in mind is not certain, but it is probable that he was thinking of the subject of his later tragedy, Die Braut von Meſſina, as well as of Maria Stuart, and it is in part, at least, due to Goethe's influence that, in spite of the difficulties of the subject, he determined to make the Queen of Scots the heroine of his next work. The idea of treating her career dramatically was no new one, for at Bauerbach, in December, 1782, he had thought of it, but after some preparatory reading he had given it up for Don Carlos. Just when he decided to resume the old subject is not known, but it was doubtless during his stay at Weimar, for April 26, the day after his return to Jena, he wrote [2] to Goethe: "I have begun to study the trial of Mary Stuart. Several tragic *motifs* have at once suggested

---

[1] Briefwechſel zwiſchen Schiller und Goethe. 4te Auflage. Stuttgart, 1881. 585.
[2] Briefwechſel, 591.

themselves to me, and have given me great faith in this subject, which undeniably has very many satisfactory aspects." The general plan of the work was forming in his mind, but though Goethe spent the greater part of the month of May with him, other matters occupied their attention and no progress was made.

After Goethe's departure, Schiller worked earnestly at his new subject, and June 4 he writes[1]: " Since the plan for the first acts of the Mary was complete and in the last acts only a single point was still undetermined, I could not refrain, in order not to lose time, from proceeding at once to the composition. Before beginning the second act everything in the last acts must be clear to me. Accordingly to-day, June 4, I have begun this *opus* with delight and pleasure, and during this month I hope to put behind me a considerable portion of the exposition." The work progressed, however, somewhat slowly, for it was necessary to lay the foundation for the whole and to guard, at the beginning, against making any mistake. But Schiller worked industriously and gained confidence in the tragic quality of his subject. July 12 he wrote[2]: " Aside from the fact that I am not familiar with such matters, the necessary exposition, of the trial and of the legal form has a tendency to dullness, which I hope that I have overcome. In doing so, however, I have lost a good deal of time, but the exposition was not to be avoided." A few days later he again wrote[3]: " This act has taken a long time and will take another week, because I had to encounter in it the poetic struggle with the historical material, and took pains to allow my imagination a certain freedom with the history, while at the same time I sought to appropriate everything useful that it afforded." Before the end of the month, however, the second act was begun, and August 9 he wrote[4] to Körner: " A third

---

[1] Briefwechsel, 601.   [2] Briefwechsel, 621.

[3] Briefwechsel, 625.

[4] Briefwechsel mit Körner, Th. II. S. 329. Hsg. Goedeke. Leipzig, 1878.

of the new tragedy, and the most difficult part of the whole, I have already behind me." A week later he had finished the first draft of the act, which he completed August 26, and began the third act the following day. Sept. 3 he had reached the famous quarrel scene, but here the work which he was obliged to do on the Mufenalmanach compelled him to pause.

Beside other lyrics Schiller was occupied with Das Lied von der Glocke till the end of the month. He was then able to devote a few days to his drama, and made such progress that he began to think of new plans [1] for the following year. His wife's serious illness interrupted him, however, till the beginning of December, so that he had to give up all thought of bringing out the play in January. December 23 he wrote [2] to Goethe: "I intended to visit you yesterday evening, but got deeply engaged in my work, and the time passed. As I wish to read the first three acts to Mellish to-morrow, there was and still is much to do, which keeps me at home. There is nothing, as you know by experience, that takes more time than filling in the little gaps that one has left in his work."

The last day of December he was busy with the scene of Mortimer's death, and a few days later he wrote [3] to Körner that he would perhaps finish the work by the end of February. His adaptation of Macbeth and the revision of Wallenstein hindered him, and in February he was prostrated by a severe illness, so that the first four acts were not finally completed till May 5, 1800. A few days later he wrote [4] to Goethe that he had neither been able nor desired to begin the fifth act, because for it he needed a peculiar mood. Accordingly, May 15, he withdrew to the ducal castle of Ettersburg, where, in profound solitude, he wrote the concluding act. The drama was completed

[1] Düntzer, Erläuterungen, 18.   [2] Briefwechsel, 685.
[3] Briefwechsel mit Körner, II. 337.   [4] Briefwechsel, 739.

June 9, but three days later, at the command of the duke,
Goethe wrote [1] to him, desiring that the representation of the
communion might be omitted. "I can now confess to you," he
wrote, "that I was not pleased with the idea myself, and since
it has been protested against in advance, it is doubly unadvis-
able. Perhaps you might like to let me see the fifth act, and to
visit me this morning after ten o'clock, so that we might talk
over the matter." This was of course equivalent to a direct command from the duke, and Schiller accordingly so altered [2] the
stage version that no offense was given. June 14 the tragedy
was played for the first time, and was received with great ap-
proval. Schiller was himself satisfied [3] with its success, and
Goethe wrote [4] to him: "There is every reason to be thoroughly
satisfied with the presentation, and the piece has pleased me
extraordinarily."

II.

Schiller's Sources.

In a letter to Goethe, Jan. 5, 1798, Schiller defined his general attitude toward historical subjects. "I will not deny," he
wrote [5], "that I ought to choose only historical subjects; freely
invented ones would be dangerous for me. Idealizing the real
is quite another task from realizing the ideal, and the latter is
essentially the case in pure fiction. It is possible for me to
animate a given subject, that is defined and limited, to impart
warmth to it, and, as it were, to make it spring up; at the same
time the objective definiteness of such a subject curbs my imagination and limits my choice." From this standpoint the history
of Mary Stuart afforded the poet a suitable subject. The

---

[1] Briefwechsel, 741.   [2] For changes cf. l. 3625, *note.*
[3] Briefwechsel mit Körner, II. 345. [4] Briefwechsel, 743.
[5] Briefwechsel, 398.

essential facts and the tragic climax were supplied; it remained for him to transmute them into an organic and dramatic whole.

Of the use that he made of the historical material, he wrote[1]: "Since the subject, historically considered, affords abundant material, I have treated it somewhat more fully in this respect, and have made use of *motifs* that can give pleasure to the thoughtful and educated reader, but which, in the representation, when the object is moreover visibly present, are not necessary and, on account of the historical ignorance of the masses, are also uninteresting." A careful study of the drama shows that this is true. It must of course be remembered that Schiller's purpose was to write poetry and not history. In so doing he groups historical facts to suit himself and when dramatic necessity requires, either alters the facts to suit his purpose or introduces characters and events that are purely fictitious. Of the subject-matter, however, he made a thorough and careful study in the course of which he consulted all available sources. Düntzer mentions the following list of authorities which he is known to have had in hand:

Archenholz, Geschichte der Königin Elisabeth von England.

Brantôme, Sammlung historischer Memoires. Hsg. von Schiller. Bd. 10.

Buchanan, Rerum Scotlarum Historia.

Camden, Annales rerum Anglicarum et Hibernicarum regnante Elizabetha.

Du Chesne. Histoire d'Écosse avec l'histoire d'Angleterre.

Genz, Aufsatz über Maria Stuart in Viewegs Taschenbuch für 1799.

Hume, History of England.

De Rapin Thoyras, Histoire d'Angleterre.

Robertson, History of Scotland.

---

[1] Briefwechsel, 640.

Beside these he consulted various general works of reference for biographical details, local customs and the like. He also used a volume of theological miscellanies in preparing for the last act.

Of this list it seems desirable to mention particularly only those works whose influence seems to have been specially marked in determining Schiller's conception of his characters. Among these the most important is the essay by Archenholz, with whose view of Mary's character Schiller in many points agrees. It is to this work that Düntzer refers the letter of April 26, already cited, in which the poet spoke of taking up a history of the reign of Queen Elizabeth and beginning the study of Mary Stuart's trial.

Archenholz based his sketch of the Scottish queen upon Robertson and in conclusion remarks: "Philanthropy inclines us to draw a veil over her past and to attribute her actions more to her situation than to her disposition. Both in degree and duration her sufferings surpass those tragic misfortunes which the imagination invents in order to arouse pity upon the stage. If we reflect upon these sufferings with all their circumstances, we are disposed to forget the faults of the unhappy queen, and to give our tears free course." Düntzer quotes at length those portions of Archenholz that are of special interest to the student of Schiller's drama. Elizabeth's jealousy of Mary's superior charms and her hypocrisy in everything pertaining to the fate of her rival are *motifs* that he found more sharply presented here than in any of the other works that he consulted.

In keeping the English locality and character vividly before his imagination, Schiller found de Rapin Thoyras[1] particularly useful. In matters of detail throughout the drama he seems to have followed this authority closely. Especially is this true of

---

[1] Cf. Briefwechsel, 621.

Mary's trial and of legal affairs in general, and in several instances he has freely adapted such portions of Rapin's text as he found available.

In the fifth act one of Schiller's chief authorities was Brantôme. His account of Mary's execution purports to be copied from the verbal account of two of her ladies, who were present. This was probably the most detailed account with which Schiller was familiar, though he had also read Robertson and Hume. It contains much that is exaggerated or untrue, but is written in a style so naïve and sympathetic, that it was especially suited to his purpose. He availed himself of many of its details, though in some points he follows other authors. The use of Brantôme has been especially pointed out by Boxberger, and in his introduction to the drama he reprints the greater part of the article. In his foot-notes he also gives the passages from Rapin that seem to have been especially suggestive to the poet.

III.

CRITICAL DISCUSSION OF THE TRAGEDY.

A just appreciation of Maria Stuart must of necessity first concern itself with the question of Schiller's intention in writing the drama. From what standpoint did he regard the subject? In determining this question the information that can be gathered from his correspondence with Goethe is particularly valuable.

It will be remembered that after finishing Wallenstein, Schiller's first idea for a new tragedy was a subject [1] dealing with some question of human passion and of his own invention rather than historical. But as above remarked, his sober judgment dictated an historical subject as better suited to the bent of his

---

[1] Briefwechsel, 586.

peculiar genius, and this feeling seems to have determined his choice. It was, however, only natural that he was disposed to select a subject in which it was still possible to realize, in part at least, his original wish. This opportunity Maria Stuart afforded him, and it seems to have been this form of the subject that first presented itself to his mind, for no sooner had he begun work upon it, than he wrote [1] to Goethe: "I see a possibility of setting aside the whole judicial process, together with all political affairs, and of beginning the tragedy with the condemnation."

But apart from the fact that the difficulties encountered in his great trilogy inclined him to select a subject dealing with human passion, such a method of treating historical material was in accord with the development of his own and Goethe's views upon the use of history in dramatic composition. It was while at work upon Maria Stuart that he wrote,[2] apropos of another historical subject, "I think on the whole it would be well always to take only the general situation, the time and the persons from history, and to invent every thing else with poetic freedom." To this Goethe replied [3]: "There is no question that if history supply the simple fact, the bare object, and the poet the subject-matter and treatment, it is better and more convenient than if we make a more detailed and circumstantial use of history; for when one is always compelled to accept the peculiarity of the situation, he turns away from the purely human element, and poetry is involved in difficulties."

Had Schiller written his drama sixteen years before, when the subject first occurred to him, it is probable that he would have represented [4] the catholic princess as opposed to the irresistible progress of English protestantism, and falling a sacrifice to the

---

[1] Briefwechsel, 591.   [2] Briefwechsel, 642.

[3] Briefwechsel, 643.

[4] Cf. Scherer, Geschichte der deutschen Literatur, 598.

religious and political interests of a great nation. The judicial and political elements would have then formed the chief part of the work, and its character would have been essentially polemic. But now, not only from inclination but also in harmony with clearly defined principles, Schiller undertook simply to represent upon an historical background a tragedy of human passion. Various critics, and notably Hettner, have censured him for not making the plot of his drama turn upon the conflict of historic forces. Such criticism, however, is either manifestly unjust, or is based upon a misconception of the poet's purpose. As well might one find fault with a landscape, because the artist had not preferred to paint a portrait.

In certain tragic requirements the subject seemed especially suited for a drama of passion. By a skillful exposition of Mary's situation and sufferings, it was easy to arouse the pity that Aristotle characterizes as essential to tragedy. The element of tragic fear also occasioned no great difficulty. In beginning with the condemnation, the catastrophe is at once foreseen and the feature of surprise is thus sacrificed. But the poet distinguished clearly between surprise and suspense. The latter alone is essential, and the absence of the former he even regarded as an advantage, for he wrote[1] to Goethe that the plot, while seeming to turn away from the catastrophe, constantly approached it, and thus aroused the Aristotelian fear.

The chief difficulty that confronted the poet was to invent a plot in which the heroine should appear as acting, and not simply as suffering. Dramatic art required that the inevitable climax should be the necessary result of Mary's own action, as exhibited in the drama. To this end Schiller invented the character of Mortimer, Mary's relation to Leicester and her meeting with Elizabeth. In this way he aimed at arousing hope

---

[1] Briefwechsel, 607.

for the condemned queen, and showing her ultimate destruction as the immediate result of her own tragic guilt. How far he succeeded in this attempt, it is the purpose of the following analysis of the drama to show.

In a discussion of the drama for this purpose, it is of the utmost importance to comprehend clearly Mary's mental attitude when the play begins. She feels keenly the wrong that she is suffering at Elizabeth's hands, but long imprisonment, separation from her servants, suspense regarding her fate and the refusal of religious consolation have brought her to the verge of despair. In her wretchedness she is further tortured with remorse at the murder of Darnley. Penance can not atone for that crime nor absolution free her from the overwhelming sense of her guilt. His implacable ghost will never be at peace with her till the measure of her misfortunes is full. Her old spirit is broken. Paulet's outrage provokes no burst of passion, but with patient dignity she ignores his insults and urges him to deliver to Elizabeth the letter that he has seized. The very fact that she makes an appeal to her shows how far she has given up hope. She does not indeed think that Elizabeth will order her execution, but she looks forward to life-long imprisonment and, in constant fear of assassination, regards herself as one dying. Her course is thus parallel to that of Elizabeth and, as long as she continues in it, a tragic collision is impossible.

Under these circumstances Mortimer reveals himself to Mary as a convert to her faith and the devoted adherent of her cause. She had believed herself abandoned by the world. His story vividly recalls to her the old life and its bright associations. Friends are still faithful to her and regard her imprisonment as a martyrdom. Sympathy and the promise of aid arouse her from her melancholy and work an entire change in her mental condition, so that she utterly refuses to believe in the possibility of her execution and attempts to dissuade Mortimer from his

plan of rescuing her by force. She looks for rescue at Leicester's hands and had despaired because every way to him was
barred. But now she accepts the unexpected opportunity and
sends him a letter. Thus she ceases to be simply passive and
acts in her own behalf.

Aroused by the thought of life and freedom, she hears from
Burleigh the formal announcement of her sentence. With
queenly majesty she declines to recognize the jurisdiction of the
court and presents, in the strongest light, the injustice and
illegality of her trial. She may fall a sacrifice to Elizabeth's
safety, but tyranny, not justice, seals her doom. She leaves the
stage, and Burleigh's hint of her assassination shows that, though
determined to compass her destruction, he feels himself in the
wrong.

The act is a masterpiece of exposition, and arouses the keenest
interest in Mary's fate. She is not faultless, but both remorse
for her guilt and innocence of the wrong for which she suffers
excite pity in her behalf. Fear is aroused by the doom that
hangs over her, and her own action is made a factor that must
either avert or hasten it. In a word, all the elements of genuine
tragedy are present.

The scene of the second act is laid at Elizabeth's court.
From the conversation between Davison and Kent it appears
that, according to general opinion, Mary's execution is imminent.
The queen's determination to be rid of her rival is shown in her
reply to the French ambassador's plea in her behalf, and still
more clearly is this the case in her replies to Shrewsbury and
the sharp reproof with which she finally silences his eloquent appeal in the Council. But she dreads the blame of the deed and
is ready to resort to any means to escape it. Upon receiving
Mary's letter she realizes as clearly as Burleigh and her remain-
ing councillors, that an interview, as an act looking toward
reconciliation, would be incompatible with a death sentence, but

she sheds tears over the letter and, in dismissing her Council, promises to find means of reconciling mercy and necessity. She at once recalls Mortimer, however, and attempts to win him to undertake Mary's murder. In order to prevent her intrusting the deed to another hand he agrees, and Elizabeth, relying upon his promise, is not disinclined to gain the appearance of mercy by granting the interview.

In the following scene Leicester receives from Mortimer Mary's letter. His jealous disappointment at failing to win Elizabeth's hand had suggested to him the chance of rescuing and marrying Mary, and the letter contains her assent to his proposals. Mortimer's plot, however, alarms him. He does not dare to take a decided step in her behalf, but on learning of Elizabeth's request for her assassination, he sees the possibility of bringing about an interview between the two queens, and thus hindering the execution of Mary's sentence. By his adroit flattery of Elizabeth's beauty he gains her consent, and plans an interview that shall seem to have occurred accidentally.

Thus the act entangles the threads of Mary's destiny. Leicester has formed no definite plan for her rescue, but her letter leads him to bring about the interview. Mortimer's devotion protects her from assassination, and thus it seems that Elizabeth, in spite of her implacable hatred, will find her hands fettered for proceeding against her rival.

The park at Fotheringhay is the scene of the third act. Mary exults in her unwonted liberty, and regards it as the harbinger of final and complete freedom that Leicester will gain for her. Her mental condition is the very opposite of that in which she had appealed to Elizabeth for an interview. At this moment anything like a reconciliation is as far from her thoughts as it is from Elizabeth's real purpose. The sudden announcement of her rival's approach fills her mind with a burning sense of the wrongs she has suffered, and every other thought gives place to rings and, when Davison enters, she leaves the warrant with him, but without definite commands. From him Burleigh receives it and puts it into immediate execution.

In this act, then, Mary's fate, which was practically decided at its beginning, is formally determined and, as the poet has clearly shown, not only is the quarrel scene the controlling factor in the determination, but by undertaking a second appeal to Leicester, Mary has still further hastened the inevitable catastrophe.

The fifth act accordingly represents the tragic ending of Mary's career. As dramatic necessity dictated, the poet has represented her death as a martyrdom, for, while the sentence is precipitated by her own fault, she is perfectly innocent of the crime for which she suffers. In harmony with this idea, the conversation of her servants describes the composure and resignation with which she received the order to prepare for death. In the same manner the falseness of the testimony against her and the awful preparations for her execution are reported. When Mary appears it is rather to comfort her grief-stricken servants than to be ministered to and comforted by them. After the humiliation she had experienced at Mortimer's hands, death seems her only release, and exalted in its presence, she regards it as a triumph. After confiding to Melvil the last messages for her friends, she tells her servants that she has recommended them to the protection of the king of France and, receiving from them a promise to leave England, she divides among them her personal possessions and bids each one farewell.

Thus the last earthly duty is performed and it remains for her to make her peace with God. She had earnestly desired a priest of her own faith, from whom she might receive absolution and the holy sacrament, and this happiness is unexpectedly permitted her. Melvil has taken orders that he might hear her last confession. Kneeling before him she acknowledges her envious hatred of Elizabeth and her sinful love of Leicester. The

crime of her youth, too, she again confesses, and, protesting her
innocence of any plot against Elizabeth, she goes calmly to her
fate.   At the sight of Leicester, however, she pauses and falls
half-fainting, so that he supports her.   In another sense than
she had expected, it is his arm that leads her from her prison.
But Mary has risen above all the hopes and desires of human
love, and, though something of reproach is mingled with her
words, she forgives him and bids him farewell.   Too overcome
to follow her, he remains behind and his broken soliloquy
traces the progress of the tragedy enacted below, till at the fatal
stroke he falls unconscious upon the stage.

But the drama does not end here.   As Shakespeare has in-
dicated Iago's punishment, so Schiller's poetic and dramatic
insight forbade his permitting Elizabeth to triumph over the
victim of her jealousy and hypocrisy.   Her deed avenges itself
upon her.   Shrewsbury leaves the queen, whose nobler nature
he could not save, her favorite Leicester abandons her and,
tortured by her own guilty conscience, she is left in complete
and tragic isolation.

The analysis of the drama thus makes it evident that Schiller
carefully kept in mind the requirements of tragic art.   A com-
mon criticism of the piece is that, while it is pathetic and contains
scenes of great dramatic power, Mary is only passive and that
the whole thus fails to make the impression of tragedy.   But
this criticism is not well founded, for there is no question that
Schiller has clearly shown the tragic guilt of his heroine.   Her
sufferings are indeed out of all proportion to her fault, but the
same is true of Cordelia and Desdemona, yet it is never ques-
tioned that King Lear and Othello belong to genuine tragedy.

IV.

CHARACTERIZATION, LANGUAGE AND METER.

In the delineation of his characters Schiller seems to have
kept in mind the principles formulated in Lessing's Hamburgische
Dramaturgie, — namely, that in an historical drama, while the
poet may treat the details of time, place and the like as freely as
he wishes, the characters must remain sacred to him. " To
strengthen them,"[1] says Lessing, " to present them in the best
light, is all that he may add to them on his own account. The
smallest essential change would do away with the reason why
they bear these instead of other names." As the notes of this
edition point out in detail, the poet has included a large element
of fiction in his plot, but even in the case of Mary's admission[2]
of her complicity in Darnley's murder, this element serves to
define more clearly and dramatically the characters as they were
presented in the poet's sources. The view of Mary's career and
of Elizabeth's conduct toward her, which they afforded, does not
agree with that held by various recent historians. But with this
fact the student of the tragedy is not concerned, for it is his
task to study the characters simply as they are presented in the
drama.

As the heroine of the play, Mary's character first demands
attention, and Goedeke is undoubtedly right, that it is her conduct in the quarrel scene that furnishes the key for understanding
its consistent development. This seems at first impossible, for
in that scene her conduct appears to be a direct contradiction of
her character as shown in the first and fifth acts. But a more
careful consideration of the question shows that the feeling with
which she exults in her triumph over Elizabeth formed the baser

---

[1] Hamburgische Dramaturgie, Nr. 23.

[2] Cf. l. 272, *note*.

element of her nature, from which it is the purpose [1] of the drama
to show her purification.

The first act throws much light upon Mary's past life. En-
dowed with a deeply passionate nature, her education and envi-
ronment had contributed to make her thoughtless. The sense
of her power as a sovereign tempted her and, influenced by
her infatuation for Bothwell, she consented to the murder of
Darnley, whose base ingratitude and rude treatment had changed
her love for him into bitter hatred. In consequence of her
crime she was deposed from her throne and driven from her
kingdom. At the beginning of the play, however, her better
nature has reasserted itself and, as Kennedy testifies, her life in
England has been blameless. But though the guilt, in which
her sinful love and her hatred have involved her, deserves death,
she regards this merited retribution as vengeance, from which
she still hopes to escape. She has not surrendered her claim to
the pleasures of life, and upon Leicester's promise to set her
free, she is ready to throw herself into his arms. Yet in dis-
couraging Mortimer's plot she stands upon higher moral ground
than before, though she is attracted to Leicester in the same
manner that she had been to Bothwell and for a similar reason.
In the quarrel scene also, she shows her moral development, for
the self-control that she exercises would have been impossible in
her earlier years. When however she does give way to her
scornful hatred, she is for the moment capable of herself strik-
ing a blow at Elizabeth's life. But when betrayed by Leicester
and face to face with death, it is her nobler nature that prevails.
She resolutely renounces earthly hope, and death, which she had
dreaded as vengeance, appears as a mercy, graciously vouch-
safed, by which she is deemed worthy to expiate her crime.
Her sinful love and her hatred are thus sacrificed to God, the

---

[1] Cf. Fielitz, Studien zu Schillers Dramen, S. 59.

moral law is satisfied, and as a spirit, already radiant and re-deemed, Mary triumphs completely over the lower and baser elements of her nature.

The best characterization of Elizabeth is found in one of Schiller's letters,[1] in which he refers to her as his "royal hypocrite." This phase of her character he found emphasized in his sources and it was especially suited to his purpose, for the more he exalted Mary, the more detestable it was neces-sary to represent her rival. Only by such a contrast could he win and retain sympathy for a heroine who was confessedly guilty of her husband's murder. He has succeeded, however, in making her character comprehensible. He represents her as possessed of a cold, intellectual nature, whose natural bent had been still further developed by the harsh fortunes of her early life. Vanity and jealousy are her most conspicuous traits. Her doubtful legitimacy causes her bitter hatred for Mary, but at the same time forbids the tyrannical exercise of her power against her, for she is forced to court the favor of her people. Deceit thus becomes her policy, and her only care is to preserve the appearance of virtue.

The other characters of the drama hardly require special men-tion. Leicester's rôle is in accord with his historical character, a selfish, ambitious and cowardly courtier. Mortimer, an im-pulsive, passionate enthusiast, ready to dare anything and regard-less of consequences, is contrasted with him. Burleigh is the type of a cool and calculating statesmen, who knows no scruple in seeking the welfare of the State. Except in the case of Mary, the poet has made no attempt to show any development of character.

In point of language and style the drama is classical, and there is little attempt to suit the diction to the speaker. Schil-

---

[1] Briefwechsel, 630.

ler's tendency to declamation is less marked than in some of his other works. The dialogue is generally well managed, and the interest sustained.

In point of verse the drama shows less irregularity than might be expected, for Schiller especially mentions [1] the fact that he allowed himself greater freedom or rather variety in this respect than had before been his custom. It is probable however that he referred especially to the lyric passages at the beginning of the third act, for elsewhere, as Zarncke remarks,[2] the general character of the work does not differ especially from Wallen= ſtein, except perhaps that the iambics are somewhat smoother. The same author gives a careful analysis of the drama from the metrical standpoint and cites each line that varies from the regular iambic pentameter. Rhyme occurs frequently at the close of scenes and in the lyrics, both alternate and in couplets. Its irregular use serves to add color to the passages in which it is used, and heightens the dramatic effect.

The tragedy was at once successful upon the German stage and still remains a popular favorite. It has been repeatedly translated, and is frequently presented both in England and America.

---

[1] Briefwechſel, 651.   [2] Über den fünffüßigen Jambus, u. ſ. w. 71.

Maria Stuart.

Ein Trauerspiel.

[1800.]

Perſonen.

Eliſabeth, Königin von England.

Maria Stuart, Königin von Schottland, Gefangene in England.

Robert Dudley, Graf von Leiceſter.

Georg Talbot, Graf von Shrewsbury.

Wilhelm Cecil, Baron von Burleigh, Großſchatzmeiſter.

Graf von Kent.

Wilhelm Daviſon, Staatsſekretär.

Amias Paulet, Ritter, Hüter der Maria.

Mortimer, ſein Neffe.

Graf Aubeſpine, franzöſiſcher Geſandter.

Graf Bellievre, außerordentlicher Botſchafter von Frankreich.

Okelly, Mortimers Freund.

Drugeon Drury, zweiter Hüter der Maria.

Melvil, ihr Haushofmeiſter.

Burgoyn, ihr Arzt.

Hanna Kennedy, ihre Amme.

Margareta Kurl, ihre Kammerfrau.

Sherif der Grafſchaft.

Offizier der Leibwache.

Franzöſiſche und engliſche Herren.

Trabanten.

Hofdiener der Königin von England.

Diener und Dienerinnen der Königin von Schottland.

Mary's father James V of Scotland — on coming to Elizabeth. Her father died when she was 8 days old.

Erster Aufzug.

Im Schloß zu Fotheringhay. Ein Zimmer.

Erster Auftritt.

Hanna Kennedy. Amme der Königin von Schottland, in heftigem
Streit mit Paulet, der im Begriff ist, einen Schrank zu öffnen.
Drugeon Drury, sein Gehilfe, mit Brecheisen.

Kennedy.

Was macht Ihr, Sir? Welch neue Dreistigkeit!
Zurück von diesem Schrank!

Paulet.

                    Wo kam der Schmuck her?
Vom obern Stock ward er herabgeworfen;
Der Gärtner hat bestochen werden sollen
5   Mit diesem Schmuck — Fluch über Weiberlist!
Trotz meiner Aufsicht, meinem scharfen Suchen
Noch Kostbarkeiten, noch geheime Schätze!
                    Sich über den Schrank machend.
Wo das gesteckt hat, liegt noch mehr!

Kennedy.

                              Zurück, Verwegner!
Hier liegen die Geheimnisse der Lady.

Paulet.

10   Die eben such' ich.   Schriften hervorziehend.

Kennedy.

Unbedeutende

(3)

Papiere, bloße Übungen der Feder,
Des Kerkers traur'ge Weile zu verkürzen.

Paulet.

In müß'ger Weile schafft der böse Geist.

Kennedy.

Es sind französische Schriften.

Paulet.

Desto schlimmer!

15   Die Sprache redet Englands Feind.

Kennedy.

Konzepte

Von Briefen an die Königin von England.

Paulet.

Die überliefr' ich — Sieh! Was schimmert hier?

Er hat einen geheimen Ressort geöffnet und zieht aus einem verborgnen Fach
Geschmeide hervor.

Ein königliches Stirnband, reich an Steinen,
Durchzogen mit den Lilien von Frankreich!

Er giebt es seinem Begleiter.

20   Verwahrt's, Drury. Legt's zu dem übrigen! Drury geht ab.

Kennedy.

O schimpfliche Gewalt, die wir erleiden!

Paulet.

Solang' sie noch besitzt, kann sie noch schaden
Denn alles wird Gewehr in ihrer Hand.

Kennedy.

Seid gütig, Sir! Nehmt nicht den letzten Schmuck
25   Aus unserm Leben weg! Die Jammervolle
Erfreut der Anblick alter Herrlichkeit,
Denn alles andre habt Ihr uns entrissen.

Paulet.

Es liegt in guter Hand. Gewissenhaft
Wird es zu seiner Zeit zurückgegeben!

Kennedy.

30 Wer sieht es diesen kahlen Wänden an,
Daß eine Königin hier wohnt? Wo ist
Die Himmeldecke über ihrem Sitz?
Muß sie den zärtlich weichgewöhnten Fuß
Nicht auf gemeinen rauhen Boden setzen?
35 Mit grobem Zinn — die schlechtste Edelfrau
Würd' es verschmähn — bedient man ihre Tafel.

Paulet.

So speiste sie zu Sterlyn ihren Gatten,
Da sie aus Gold mit ihrem Buhlen trank.

Kennedy.

Sogar des Spiegels kleine Notdurft mangelt.

Paulet.

40 Solang' sie noch ihr eitles Bild beschaut,
Hört sie nicht auf, zu hoffen und zu wagen.

Kennedy.

An Büchern fehlt's, den Geist zu unterhalten.

Paulet.

Die Bibel ließ man ihr, das Herz zu bessern.

Kennedy.

Selbst ihre Laute ward ihr weggenommen.

Paulet.

45 Weil sie verbuhlte Lieder drauf gespielt.

Kennedy.

Ist das ein Schicksal für die Weicherzogne,
Die in der Wiege Königin schon war,
Am üpp'gen Hof der Medicäerin
In jeder Freuden Fülle aufgewachsen?
50 Es sei genug, daß man die Macht ihr nahm;
Muß man die armen Flitter ihr mißgönnen?
In großes Unglück lehrt ein edles Herz

Sich endlich finden; aber wehe thut's,
Des Lebens kleine Zierden zu entbehren.

Paulet.

55 Sie wenden nur das Herz dem Eiteln zu,
Das in sich gehen und bereuen soll.
Ein üppig lastervolles Leben büßt sich
In Mangel und Erniedrigung allein.

Kennedy.

Wenn ihre zarte Jugend sich verging,
60 Mag sie's mit Gott abthun und ihrem Herzen,
In England ist kein Richter über sie.

Paulet.

Sie wird gerichtet, wo sie frevelte.

Kennedy.

Zum Freveln fesseln sie zu enge Bande.

Paulet.

Doch wußte sie aus diesen engen Banden
65 Den Arm zu strecken in die Welt, die Fackel
Des Bürgerkrieges in das Reich zu schleudern
Und gegen unsre Königin, die Gott
Erhalte, Meuchelrotten zu bewaffnen.
Erregte sie aus diesen Mauern nicht
70 Den Bösewicht Parry und den Babington
Zu der verfluchten That des Königsmords?
Hielt dieses Eisengitter sie zurück,
Das edle Herz des Norfolk zu umstricken?
Für sie geopfert fiel das beste Haupt
75 Auf dieser Insel unterm Henkerbeil —
Und schreckte dieses jammervolle Beispiel
Die Rasenden zurück, die sich wetteifernd
Um ihrentwillen in den Abgrund stürzen?

Die Blutgerüste füllen sich für sie
80 Mit immer neuen Todesopfern an,
Und das wird nimmer enden, bis sie selbst,
Die Schuldigste, darauf geopfert ist.
— O Fluch dem Tag, da dieses Landes Küste
Gastfreundlich diese Helena empfing.

Kennedy.

85 Gastfreundlich hätte England sie empfangen?
Die Unglückselige, die seit dem Tag,
Da sie den Fuß gesetzt in dieses Land,
Als eine Hilfeflehende, Vertriebne,
Bei der Verwandten Schutz zu suchen kam,
90 Sich wider Völkerrecht und Königswürde
Gefangen sieht, in enger Kerkerhaft
Der Jugend schöne Jahre muß vertrauern —
Die jetzt, nachdem sie alles hat erfahren,
Was das Gefängnis Bittres hat, gemeinen
95 Verbrechern gleich, vor des Gerichtes Schranken
Gefordert wird und schimpflich angeklagt
Auf Leib und Leben — eine Königin!

Paulet.

Sie kam ins Land als eine Mörderin,
Verjagt von ihrem Volk, des Throns entsetzt,
100 Den sie mit schwerer Greuelthat geschändet.
Verschworen kam sie gegen Englands Glück,
Der spanischen Maria blut'ge Zeiten
Zurück zu bringen, Engelland katholisch
Zu machen, an den Franzmann zu verraten.
105 Warum verschmähte sie's, den Edinburger
Vertrag zu unterschreiben, ihren Anspruch
An England aufzugeben und den Weg

Aus diesem Kerker schnell sich aufzuthun
Mit einem Federstrich? Sie wollte lieber
110 Gefangen bleiben, sich mißhandelt sehn,
Als dieses Titels leerem Prunk entsagen.
Weswegen that sie das? Weil sie den Ränken
Vertraut, den bösen Künsten der Verschwörung,
Und unheilspinnend diese ganze Insel
115 Aus ihrem Kerker zu erobern hofft.

Kennedy.

Ihr spottet, Sir. — Zur Härte fügt Ihr noch
Den bittern Hohn! Sie hegte solche Träume,
Die hier lebendig eingemauert lebt,
Zu der kein Schall des Trostes, keine Stimme
120 Der Freundschaft aus der lieben Heimat dringt,
Die längst kein Menschenangesicht mehr schaute,
Als ihrer Kerkermeister finstre Stirn,
Die erst seit kurzem einen neuen Wächter
Erhielt in Eurem rauhen Anverwandten,
125 Von neuen Stäben sich umgittert sieht —

Paulet.

Kein Eisengitter schützt vor ihrer List.
Weiß ich, ob diese Stäbe nicht durchfeilt,
Nicht dieses Zimmers Boden, diese Wände,
Von außen fest, nicht hohl von innen sind,
130 Und den Verrat einlassen, wenn ich schlafe?
Fluchvolles Amt, das mir geworden ist,
Die unheilbrütend Listige zu hüten.
Vom Schlummer jagt die Furcht mich auf; ich gehe
Nachts um, wie ein gequälter Geist, erprobe
135 Des Schlosses Riegel und der Wächter Treu'
Und sehe zitternd jeden Morgen kommen,

Der meine Furcht wahr machen kann.   Doch wohl mir!
Wohl! Es ist Hoffnung, daß es bald nun endet.
Denn lieber möcht' ich der Verdammten Schar
140 Wachstehend an der Höllenpforte hüten,
Als diese ränkevolle Königin.

Kennedy.

Da kommt sie selbst!

Paulet.

   Den Christus in der Hand,
Die Hoffart und die Weltlust in dem Herzen.

Zweiter Auftritt.

Maria im Schleier, ein Kruzifix in der Hand. Die Vorigen.

Kennedy ihr entgegeneilend.

O Königin! Man tritt uns ganz mit Füßen,
145 Der Tyrannei, der Härte wird kein Ziel,
Und jeder neue Tag häuft neue Leiden
Und Schmach auf dein gekröntes Haupt.

Maria.

    Faß dich!
Sag' an, was neu geschehen ist?

Kennedy.

    Sieh her!
Dein Pult ist aufgebrochen, deine Schriften,
150 Dein einz'ger Schatz, den wir mit Müh gerettet,
Der letzte Rest von deinem Brautgeschmeide

Aus Frankreich ist in seiner Hand. Du hast **nun**
Nichts Königliches mehr, bist ganz beraubt.

Maria.

Beruhige dich, Hanna! Diese Flitter machen
155 Die Königin nicht aus. Man kann uns niedrig
Behandeln, nicht erniedrigen. Ich habe
In England mich an viel gewöhnen lernen,
Ich kann auch das verschmerzen. Sir, Ihr habt Euch
Gewaltsam zugeeignet, was ich Euch
160 Noch heut zu übergeben willens war.
Bei diesen Schriften findet sich ein Brief,
Bestimmt für meine königliche Schwester
Von England — Gebt mir Euer Wort, daß Ihr
Ihn redlich an sie selbst wollt übergeben
165 Und nicht in Burleighs ungetreue Hand.

Paulet.

Ich werde mich bedenken, was zu thun ist.

Maria.

Ihr sollt den Inhalt wissen, Sir. Ich bitte
In diesem Brief um eine große Gunst —
— Um eine Unterredung mit ihr selbst,
170 Die ich mit Augen nie gesehn — Man hat mich
Vor ein Gericht von Männern vorgefordert,
Die ich als meinesgleichen nicht erkennen,
Zu denen ich kein Herz mir fassen kann.
Elisabeth ist meines Stammes, meines
175 Geschlechts und Ranges — Ihr allein, der Schwester,
Der Königin, der Frau kann ich mich öffnen.

Paulet.

Sehr oft, Mylady, habt Ihr Euer Schicksal

Und Eure Ehre Männern anvertraut,
Die Eurer Achtung minder würdig waren.

Maria.

180 Ich bitte noch um eine zweite Gunst,
Unmenschlichkeit allein kann mir sie weigern.
Schon lange Zeit entbehr' ich im Gefängnis
Der Kirche Trost, der Sakramente Wohlthat;
Und die mir Kron' und Freiheit hat geraubt,
185 Die meinem Leben selber droht, wird mir
Die Himmelsthüre nicht verschließen wollen.

Paulet.

Auf Euren Wunsch wird der Dechant des Orts —

Maria
unterbricht ihn lebhaft.

Ich will nichts vom Dechanten. Einen Priester
Von meiner eignen Kirche fordre ich.
190 — Auch Schreiber und Notarien verlang' ich,
Um meinen letzten Willen aufzusetzen.
Der Gram, das lange Kerkerelend nagt
An meinem Leben. Meine Tage sind
Gezählt, befürcht' ich, und ich achte mich
195 Gleich einer Sterbenden.

Paulet.

Da thut Ihr wohl;
Das sind Betrachtungen, die Euch geziemen.

Maria.

Und weiß ich, ob nicht eine schnelle Hand
Des Kummers langsames Geschäft beschleunigt?

Ich will mein Testament aufſetzen, will
200 Verfügung treffen über das, was mein iſt.

Paulet.

Die Freiheit habt Ihr. Englands Königin
Will ſich mit Eurem Raube nicht bereichern.

Maria.

Man hat von meinen treuen Kammerfrauen,
Von meinen Dienern mich getrennt — Wo ſind ſie?
205 Was iſt ihr Schickſal? Ihrer Dienſte kann ich
Entraten; doch beruhigt will ich ſein,
Daß die Getreu'n nicht leiden und entbehren.

Paulet.

Für Eure Diener iſt geſorgt. Er will gehen.

Maria.

Ihr geht, Sir? Ihr verlaßt mich abermals
210 Und ohne mein geängſtigt fürchtend Herz
Der Qual der Ungewißheit zu entladen? *befreien*
Ich bin, dank Eurer Späher Wachſamkeit,
Von aller Welt geſchieden, keine Kunde
Gelangt zu mir durch dieſe Kerkermauern,
215 Mein Schickſal liegt in meiner Feinde Hand.
Ein peinlich langer Monat iſt vorüber,
Seitdem die vierzig Kommiſſarien
In dieſem Schloß mich überfallen, Schranken
Errichtet, ſchnell, mit unanſtändiger Eile,
220 Mich unbereitet, ohne Anwalts Hilfe,
Vor ein noch nie erhört Gericht geſtellt,
Auf ſchlaugefaßte ſchwere Klagepunkte
Mich, die Betäubte, Überraſchte, flugs
Aus dem Gedächtnis Rede ſtehen laſſen —

225 Wie Geister kamen sie und schwanden wieder.
Seit diesem Tage schweigt mir jeder Mund,
Ich such' umsonst in Eurem Blick zu lesen,
Ob meine Unschuld, meiner Freunde Eifer,
Ob meiner Feinde böser Rat gesiegt.

230 Brecht endlich Euer Schweigen — Laßt mich wissen,
Was ich zu fürchten, was zu hoffen habe.

Paulet nach einer Pause.

Schließt Eure Rechnung mit dem Himmel ab!

Maria.

Ich hoff' auf seine Gnade, Sir — und hoffe
Auf strenges Recht von meinen ird'schen Richtern.

Paulet.

235 Recht soll Euch werden.   Zweifelt nicht daran!

Maria.

Ist mein Prozeß entschieden, Sir?

Paulet.

Ich weiß nicht.

Maria.

Bin ich verurteilt?

Paulet.

Ich weiß nichts, Mylady.

Maria.

Man liebt hier, rasch zu Werk zu gehn.   Soll mich
Der Mörder überfallen, wie die Richter?

Paulet.

240 Denkt immerhin, es sei so, und er wird Euch
In beſſ'rer Fassung dann als diese finden.

Maria.

Nichts soll mich in Erstaunen setzen, Sir,
Was ein Gerichtshof in Westminsterhall,
Den Burleighs Haß und Hattons Eifer lenkt,
245 Zu urteln sich erdreiste — Weiß ich doch,
Was Englands Königin wagen darf zu thun.

Paulet.

Englands Beherrscher brauchen nichts zu scheuen
Als ihr Gewissen und ihr Parlament.
Was die Gerechtigkeit gesprochen, furchtlos
250 Vor aller Welt wird es die Macht vollziehn.

Dritter Auftritt.

Die Vorigen. Mortimer, Paulets Neffe, tritt herein und ohne
der Königin einige Aufmerksamkeit zu bezeugen, zu Paulet.

Mortimer.

Man sucht Euch, Oheim.

Er entfernt sich auf eben die Weise. Die Königin bemerkt es mit Unwillen
und wendet sich zu Paulet, der ihm folgen will.

Maria.

                          Sir, noch eine Bitte.
Wenn Ihr mir was zu sagen habt — von Euch
Ertrag' ich viel, ich ehre Euer Alter.
Den Übermut des Jünglings trag' ich nicht;
255 Spart mir den Anblick seiner rohen Sitten!

Paulet.

Was ihn Euch widrig macht, macht mir ihn wert.
Wohl ist es keiner von den weichen Thoren,
Die eine falsche Weiberthräne schmelzt —
Er ist gereist, kommt aus Paris und Rheims
260 Und bringt sein treu altenglisch Herz zurück;
Lady, an dem ist Eure Kunst verloren! Geht ab.

Vierter Auftritt.

Maria. Kennedy.

Kennedy.

Darf Euch der Rohe das ins Antlitz sagen!
O, es ist hart!

Maria

in Nachdenken verloren.

Wir haben in den Tagen unsers Glanzes
265 Dem Schmeichler ein zu willig Ohr geliehn,
Gerecht ist's, gute Kennedy, daß wir
Des Vorwurfs ernste Stimme nun vernehmen.

Kennedy.

Wie? so gebeugt, so mutlos, teure Lady?
Wart Ihr doch sonst so froh, Ihr pflegtet mich zu trösten,
270 Und eher mußt' ich Euren Flattersinn,
Als Eure Schwermut schelten.

Maria.

Ich erkenn' ihn —
Es ist der blut'ge Schatten König Darnleys,

Der zürnend aus dem Gruftgewölbe steigt,
Und er wird nimmer Friede mit mir machen,
275 Bis meines Unglücks Maß erfüllet ist.

Kennedy.

Was für Gedanken —

Maria.

Du vergissest, Hanna —
Ich aber habe ein getreu Gedächtnis —
Der Jahrstag dieser unglückseligen That
Ist heute abermals zurückgekehrt,
280 Er ist's, den ich mit Buß' und Fasten feire.

Kennedy.

Schickt endlich diesen bösen Geist zur Ruh.
Ihr habt die That mit jahrelanger Reu',
Mit schweren Leidensproben abgebüßt.
Die Kirche, die den Löseschlüssel hat
285 Für jede Schuld, der Himmel hat vergeben.

Maria.

Frischblutend steigt die längst vergebne Schuld
Aus ihrem leichtbedeckten Grab empor!
Des Gatten racheforderndes Gespenst
Schickt keines Messedieners Glocke, kein
290 Hochwürdiges in Priesters Hand zur Gruft.

Kennedy.

Nicht Ihr habt ihn gemordet! Andre thaten's!

Maria.

Ich wußte drum. Ich ließ die That geschehn,
Und lockt' ihn schmeichelnd in das Todesnetz.

Kennedy.

Die Jugend mildert Eure Schuld. Ihr wart
So zarten Alters noch.

Maria.

295   So zart — und lud
Die schwere Schuld auf mein so junges Leben.

Kennedy.

Ihr wart durch blutige Beleidigung
Gereizt und durch des Mannes Übermut,
Den Eure Liebe aus der Dunkelheit
300 Wie eine Götterhand hervorgezogen,
Den Ihr durch Euer Brautgemach zum Throne
Geführt, mit Eurer blühenden Person
Beglückt und Eurer angestammten Krone.
Konnt' er vergessen, daß sein prangend Los
305 Der Liebe großmutsvolle Schöpfung war?
Und doch vergaß er's, der Unwürdige!
Beleidigte mit niedrigem Verdacht,
Mit rohen Sitten Eure Zärtlichkeit,
Und widerwärtig wurd' er Euren Augen.
310 Der Zauber schwand, der Euren Blick getäuscht;
Ihr floht erzürnt des Schändlichen Umarmung
Und gabt ihn der Verachtung preis — Und er —
Versucht' er's, Eure Gunst zurückzurufen?
Bat er um Gnade? Warf er sich bereuend
315 Zu Euren Füßen, Besserung versprechend?
Trotz bot Euch der Abscheuliche — Der Euer
Geschöpf war, Euren König wollt' er spielen,
Vor Euren Augen ließ er Euch den Liebling,
Den schönen Sänger Rizzio, durchbohren —
320 Ihr rächtet blutig nur die blut'ge That.

Maria.

Und blutig wird sie auch an mir sich rächen;
Du sprichst mein Urteil aus, da du mich tröstest.

Kennedy.

Da Ihr die That geschehn ließt, wart Ihr nicht
Ihr selbst, gehörtet Euch nicht selbst. Ergriffen
325 Hatt' Euch der Wahnsinn blinder Liebesglut,
Euch unterjocht dem furchtbaren Verführer,
Dem unglücksel'gen Bothwell — über Euch
Mit übermüt'gem Männerwillen herrschte
Der Schreckliche, der Euch durch Zaubertränke,
330 Durch Höllenkünste das Gemüt verwirrend
Erhitzte —

Maria.

          Seine Künste waren keine andre,
Als seine Männerkraft und meine Schwachheit.

Kennedy.

Nein, sag' ich. Alle Geister der Verdammnis
Mußt' er zu Hilfe rufen, der dies Band
335 Um Eure hellen Sinne wob. Ihr hattet
Kein Ohr mehr für der Freundin Warnungsstimme,
Kein Aug' für das, was wohlanständig war.
Verlassen hatte Euch die zarte Scheu
Der Menschen; Eure Wangen, sonst der Sitz
340 Schamhaft errötender Bescheidenheit,
Sie glühten nur vom Feuer des Verlangens.
Ihr warft den Schleier des Geheimnisses
Von Euch; des Mannes keckes Laster hatte
Auch Eure Blödigkeit besiegt; Ihr stelltet
345 Mit dreister Stirne Eure Schmach zur Schau.
Ihr ließt das königliche Schwert von Schottland

Durch ihn, den Mörder, dem des Volkes Flüche
Nachschallten, durch die Gassen Edinburgs
Vor Euch hertragen im Triumph, umringtet
350 Mit Waffen Euer Parlament, und hier,
Im eignen Tempel der Gerechtigkeit,
Zwangt Ihr mit frechem Possenspiel die Richter,
Den Schuldigen des Mordes loszusprechen —
Ihr gingt noch weiter — Gott!

Maria.

Vollende nur!
355 Und reicht' ihm meine Hand vor dem Altare!

Kennedy.

O, laßt ein ewig Schweigen diese That
Bedecken! Sie ist schauderhaft, empörend,
Ist einer ganz Verlornen wert — Doch Ihr seid keine
Verlorene — ich kenn' Euch ja, ich bin's,
360 Die Eure Kindheit auferzogen. Weich
Ist Euer Herz gebildet, offen ist's
Der Scham — der Leichtsinn nur ist Euer Laster.
Ich wiederhol' es, es giebt böse Geister,
Die in des Menschen unverwahrter Brust
365 Sich augenblicklich ihren Wohnplatz nehmen,
Die schnell in uns das Schreckliche begehn
Und, zu der Höll' entfliehend, das Entsetzen
In dem befleckten Busen hinterlassen.
Seit dieser That, die Euer Leben schwärzt,
370 Habt Ihr nichts Lasterhaftes mehr begangen,
Ich bin ein Zeuge Eurer Besserung.
Drum fasset Mut! Macht Friede mit Euch selbst!
Was Ihr auch zu bereuen habt, in England
Seid Ihr nicht schuldig; nicht Elisabeth,

375 Nicht Englands Parlament ist Euer Richter.
   Macht ist's, die Euch hier unterdrückt; vor diesen
   Anmaßlichen Gerichtshof dürft Ihr Euch
   Hinstellen mit dem ganzen Mut der Unschuld.

                    Maria.
Wer kommt?
              Mortimer zeigt sich an der Thüre.

                    Kennedy.
        Es ist der Neffe.   Geht hinein!

————

Fünfter Auftritt.

    Die Vorigen. Mortimer scheu hereintretend.

              Mortimer zur Amme.
380 Entfernt Euch, haltet Wache vor der Thür,
   Ich habe mit der Königin zu reden.

              Maria mit Ansehn.
Hanna, du bleibst.
                    Mortimer.
   Habt keine Furcht, Mylady.   Lernt mich kennen!
              Er überreicht ihr eine Karte.

                    Maria
         sieht sie an und fährt bestürzt zurück.
Ha!   Was ist das?

              Mortimer zur Amme.
              Geht, Dame Kennedy!
385 Sorgt, daß mein Oheim uns nicht überfalle!

Maria

zur Amme, welche zaudert und die Königin fragend ansieht.

Geh, geh! Thu, was er sagt!

Die Amme entfernt sich mit Zeichen der Verwunderung.

———————

Sechster Auftritt.

Mortimer. Maria.

Maria.

Von meinem Oheim,

Dem Kardinal von Lothringen aus Frankreich!

Liest.

„Traut dem Sir Mortimer, der Euch dies bringt,
Denn keinen treuern Freund habt Ihr in England."

Mortimern mit Erstaunen ansehend.

390 Ist's möglich? Ist's kein Blendwerk, das mich täuscht?
So nahe find' ich einen Freund und wähnte mich
Verlassen schon von aller Welt — find' ihn
In Euch, dem Neffen meines Kerkermeisters,
In dem ich meinen schlimmsten Feind —

Mortimer

sich ihr zu Füßen werfend.

Verzeihung

395 Für diese verhaßte Larve, Königin,
Die mir zu tragen Kampf genug gekostet,
Doch der ich's danke, daß ich mich Euch nahen,
Euch Hilfe und Errettung bringen kann.

Maria.

Steht auf — Ihr überrascht mich, Sir — Ich kann
400 So schnell nicht aus der Tiefe meines Elends
Zur Hoffnung übergehen — Redet, Sir —
Macht mir dies Glück begreiflich, daß ich's glaube.

Mortimer steht auf.

Die Zeit verrinnt. Bald wird mein Oheim hier sein,
Und ein verhaßter Mensch begleitet ihn.
405 Eh' Euch ihr Schreckensauftrag überrascht,
Hört an, wie Euch der Himmel Rettung schickt.

Maria.

Er schickt sie durch ein Wunder seiner Allmacht!

Mortimer.

Erlaubt, daß ich von mir beginne.

Maria.

Redet, Sir!

Mortimer.

Ich zählte zwanzig Jahre, Königin,
410 In strengen Pflichten war ich aufgewachsen,
In finsterm Haß des Papsttums aufgesäugt,
Als mich die unbezwingliche Begierde
Hinaus trieb auf das feste Land. Ich ließ
Der Puritaner dumpfe Predigtstuben,
415 Die Heimat hinter mir; in schnellem Lauf
Durchzog ich Frankreich, das gepriesene
Italien mit heißem Wunsche suchend.
    Es war die Zeit des großen Kirchenfests
Von Pilgerscharen wimmelten die Wege,
420 Bekränzt war jedes Gottesbild, es war,
Als ob die Menschheit auf der Wandrung wäre,

Wallfahrend nach dem Himmelreich — Mich selbst
Ergriff der Strom der glaubenvollen Menge
Und riß mich in das Weichbild Roms —
425   Wie ward mir, Königin!
Als mir der Säulen Pracht und Siegesbogen
Entgegenstieg, des Kolosseums Herrlichkeit
Den Staunenden umfing, ein hoher Bildnergeist
In seine heitre Wunderwelt mich schloß!
430 Ich hatte nie der Künste Macht gefühlt;
Es haßt die Kirche, die mich auferzog,
Der Sinne Reiz, kein Abbild duldet sie,
Allein das körperlose Wort verehrend.
Wie wurde mir, als ich ins Innre nun
435 Der Kirchen trat, und die Musik der Himmel
Herunterstieg, und der Gestalten Fülle
Verschwenderisch aus Wand und Decke quoll,
Das Herrlichste und Höchste, gegenwärtig,
Vor den entzückten Sinnen sich bewegte,
440 Als ich sie selbst nun sah, die Göttlichen,
Den Gruß des Engels, die Geburt des Herrn,
Die heil'ge Mutter, die herabgestiegne
Dreifaltigkeit, die leuchtende Verklärung —
Als ich den Papst drauf sah in seiner Pracht
445 Das Hochamt halten und die Völker segnen!
O, was ist Goldes, was Juwelen Schein,
Womit der Erde Könige sich schmücken!
Nur er ist mit dem Göttlichen umgeben.
Ein wahrhaft Reich der Himmel ist sein Haus,
450 Denn nicht von dieser Welt sind diese Formen.

Maria.

O, schonet mein! Nicht weiter! Höret auf,

Den frischen Lebensteppich vor mir aus=
zubreiten — Ich bin elend und gefangen.

Mortimer.

Auch ich war's, Königin! und mein Gefängnis
455 Sprang auf, und frei auf einmal fühlte sich
Der Geist, des Lebens schönen Tag begrüßend.
Haß schwur ich nun dem engen dumpfen Buch,
Mit frischem Kranz die Schläfe mir zu schmücken,
Mich fröhlich an die Fröhlichen zu schließen.
460 Viel edle Schotten drängten sich an mich
Und der Franzosen muntre Landsmannschaften.
Sie brachten mich zu Eurem edlen Oheim,
Dem Kardinal von Guise — Welch ein Mann!
Wie sicher, klar und männlich groß! — Wie ganz
465 Geboren, um die Geister zu regieren!
Das Muster eines königlichen Priesters,
Ein Fürst der Kirche, wie ich keinen sah!

Maria.

Ihr habt sein teures Angesicht gesehn,
Des vielgeliebten, des erhabnen Mannes,
470 Der meiner zarten Jugend Führer war.
O, redet mir von ihm! Denkt er noch mein?
Liebt ihn das Glück, blüht ihm das Leben noch,
Steht er noch herrlich da, ein Fels der Kirche?

Mortimer.

Der Treffliche ließ selber sich herab,
475 Die hohen Glaubenslehren mir zu deuten,
Und meines Herzens Zweifel zu zerstreun.
Er zeigte mir, daß grübelnde Vernunft
Den Menschen ewig in der Irre leitet,

Daß seine Augen sehen müssen, was
480 Das Herz soll glauben, daß ein sichtbar Haupt
Der Kirche not thut, daß der Geist der Wahrheit
Geruht hat auf den Satzungen der Väter.
Die Wahnbegriffe meiner kind'schen Seele,
Wie schwanden sie vor seinem siegenden
485 Verstand und vor der Suada seines Mundes!
Ich kehrte in der Kirche Schoß zurück,
Schwur meinen Irrtum ab in seine Hände.

Maria.

So seid Ihr einer jener Tausende,
Die er mit seiner Rede Himmelskraft,
490 Wie der erhabne Prediger des Berges,
Ergriffen und zum ew'gen Heil geführt!

Mortimer.

Als ihn des Amtes Pflichten bald darauf
Nach Frankreich riefen, sandt' er mich nach Rheims,
Wo die Gesellschaft Jesu, fromm geschäftig,
495 Für Englands Kirche Priester auferzieht.
Den edlen Schotten Morgan fand ich hier,
Auch Euren treuen Leßley, den gelehrten
Bischof von Roße, die auf Frankreichs Boden
Freudlose Tage der Verbannung leben —
500 Eng schloß ich mich an diese Würdigen
Und stärkte mich im Glauben — Eines Tags,
Als ich mich umsah in des Bischofs Wohnung,
Fiel mir ein weiblich Bildnis in die Augen,
Von rührend wundersamem Reiz; gewaltig
505 Ergriff es mich in meiner tiefsten Seele,
Und des Gefühls nicht mächtig stand ich da.
Da sagte mir der Bischof: Wohl mit Recht

Mögt Ihr gerührt bei diesem Bilde weilen.
Die schönste aller Frauen, welche leben,
510 Ist auch die jammernswürdigste von allen;
Um unsers Glaubens willen duldet sie,
Und Euer Vaterland ist's, wo sie leidet.

Maria.

Der Redliche! Nein, ich verlor nicht alles,
Da solcher Freund im Unglück mir geblieben.

Mortimer.

515 Drauf fing er an, mit herzerschütternder
Beredsamkeit mir Euer Märtyrtum
Und Eurer Feinde Blutgier abzuschildern.
Auch Euren Stammbaum wies er mir, er zeigte
Mir Eure Abkunft von dem hohen Hause
520 Der Tudor, überzeugte mich, daß Euch
Allein gebührt, in Engelland zu herrschen,
Nicht dieser Afterkönigin, gezeugt
In ehebrecherischem Bett, die Heinrich,
Ihr Vater, selbst verwarf als Bastardtochter.
525 Nicht seinem einz'gen Zeugnis wollt' ich traun,
Ich holte Rat bei allen Rechtsgelehrten,
Viel alte Wappenbücher schlug ich nach,
Und alle Kundige, die ich befragte,
Bestätigten mir Eures Anspruchs Kraft.
530 Ich weiß nunmehr, daß Euer gutes Recht
An England Euer ganzes Unrecht ist,
Daß Euch dies Reich als Eigentum gehört,
Worin Ihr schuldlos als Gefangne schmachtet.

Maria.

O, dieses unglücksvolle Recht! Es ist
535 Die einz'ge Quelle aller meiner Leiden.

Mortimer.

Um diese Zeit kam mir die Kunde zu,
Daß Ihr aus Talbots Schloß hinweggeführt,
Und meinem Oheim übergeben worden —
Des Himmels wundervolle Rettungshand
540 Glaubt' ich in dieser Fügung zu erkennen.
Ein lauter Ruf des Schicksals war sie mir,
Das meinen Arm gewählt, Euch zu befreien.
Die Freunde stimmen freudig bei, es giebt
Der Kardinal mir seinen Rat und Segen,
545 Und lehrt mich der Verstellung schwere Kunst.
Schnell ward der Plan entworfen, und ich trete
Den Rückweg an ins Vaterland, wo ich,
Ihr wißt's, vor zehen Tagen bin gelandet.   Er hält inne.
Ich sah Euch, Königin — Euch selbst!
550 Nicht Euer Bild!   O, welchen Schatz bewahrt
Dies Schloß! Kein Kerker! Eine Götterhalle,
Glanzvoller als der königliche Hof
Von England — O des Glücklichen, dem es
Vergönnt ist, eine Luft mit Euch zu atmen!
555   Wohl hat sie recht, die Euch so tief verbirgt!
Aufstehen würde Englands ganze Jugend,
Kein Schwert in seiner Scheide müßig bleiben,
Und die Empörung mit gigantischem Haupt
Durch diese Friedensinsel schreiten, sähe
560 Der Britte seine Königin!

Maria.

                    Wohl ihr,
Säh' jeder Britte sie mit Euren Augen!

Mortimer.

Wär' er, wie ich, ein Zeuge Eurer Leiden,

Der Sanftmut Zeuge und der edlen Fassung,
Womit Ihr das Unwürdige erduldet.

565 Denn geht Ihr nicht aus allen Leidensproben
Als eine Königin hervor?   Raubt Euch
Des Kerkers Schmach von Eurem Schönheitsglanze?
Euch mangelt alles, was das Leben schmückt,
Und doch umfließt Euch ewig Licht und Leben.

570 Nie setz' ich meinen Fuß auf diese Schwelle,
Daß nicht mein Herz zerrissen wird von Qualen,
Nicht von der Lust entzückt, Euch anzuschauen! —
Doch furchtbar naht sich die Entscheidung, wachsend
Mit jeder Stunde dringet die Gefahr;

575 Ich darf nicht länger säumen — Euch nicht länger
Das Schreckliche verbergen —

Maria.

                              Ist mein Urteil
Gefällt?   Entdeckt mir's frei!   Ich kann es hören.

Mortimer.

Es ist gefällt.   Die zweiundvierzig Richter haben
Ihr Schuldig ausgesprochen über Euch.   Das Haus
580 Der Lords und der Gemeinen, die Stadt London
Bestehen heftig dringend auf des Urteils
Vollstreckung; nur die Königin säumt noch,
— Aus arger List, daß man sie nötige,
Nicht aus Gefühl der Menschlichkeit und Schonung.

Maria mit Fassung.

585 Sir Mortimer, Ihr überrascht mich nicht,
Erschreckt mich nicht.   Auf solche Botschaft war ich
Schon längst gefaßt.   Ich kenne meine Richter.
Nach den Mißhandlungen, die ich erlitten,

Begreif' ich wohl, daß man die Freiheit mir
590 Nicht schenken kann — Ich weiß, wo man hinaus will.
In ew'gem Kerker will man mich bewahren,
Und meine Rache, meinen Rechtsanspruch
Mit mir verscharren in Gefängnisnacht.

Mortimer.

Nein, Königin — o nein! nein! Dabei steht man
595 Nicht still. Die Tyrannei begnügt sich nicht,
Ihr Werk nur halb zu thun. Solang' Ihr lebt,
Lebt auch die Furcht der Königin von England.
Euch kann kein Kerker tief genug begraben;
Nur Euer Tod versichert ihren Thron.

Maria.

600 Sie könnt' es wagen, mein gekröntes Haupt
Schmachvoll auf einen Henkerblock zu legen?

Mortimer.

Sie wird es wagen. Zweifelt nicht daran!

Maria.

Sie könnte so die eigne Majestät
Und aller Könige im Staube wälzen?
605 Und fürchtet sie die Rache Frankreichs nicht?

Mortimer.

Sie schließt mit Frankreich einen ew'gen Frieden;
Dem Duc von Anjou schenkt sie Thron und Hand.

Maria.

Wird sich der König Spaniens nicht waffnen?

Mortimer.

Nicht eine Welt in Waffen fürchtet sie,
610 Solang' sie Frieden hat mit ihrem Volke.

Maria.

Den Britten wollte sie dies Schauspiel geben?

Mortimer.

Dies Land, Mylady, hat in letzten Zeiten
Der königlichen Frauen mehr vom Thron
Herab aufs Blutgerüste steigen sehn.
615 Die eigne Mutter der Elisabeth
Ging diesen Weg, und Katharina Howard;
Auch Lady Gray war ein gekröntes Haupt.

Maria nach einer Pause.

Nein, Mortimer! Euch blendet eitle Furcht.
Es ist die Sorge Eures treuen Herzens,
620 Die Euch vergebne Schrecknisse erschafft.
Nicht das Schafott ist's, das ich fürchte, Sir.
Es giebt noch andre Mittel, stillere,
Wodurch sich die Beherrscherin von England
Vor meinem Anspruch Ruhe schaffen kann.
625 Eh' sich ein Henker für mich findet, wird
Noch eher sich ein Mörder dingen lassen.
—Das ist's, wovor ich zittre, Sir! und nie
Setz' ich des Bechers Rand an meine Lippen,
Daß nicht ein Schauder mich ergreift, er könnte
630 Kredenzt sein von der Liebe meiner Schwester.

Mortimer.

Nicht offenbar noch heimlich soll's dem Mord
Gelingen, Euer Leben anzutasten.
Seid ohne Furcht! Bereitet ist schon alles.
Zwölf edle Jünglinge des Landes sind
635 In meinem Bündnis, haben heute früh
Das Sakrament darauf empfangen, Euch

Mit starkem Arm aus diesem Schloß zu führen.
Graf Aubespine, der Abgesandte Frankreichs,
Weiß um den Bund, er bietet selbst die Hände,
640 Und sein Palast ist's, wo wir uns versammeln.

Maria.

Ihr macht mich zittern, Sir — doch nicht vor Freude.
Mir fliegt ein böses Ahnen durch das Herz.
Was unternehmt Ihr? Wißt Ihr's? Schrecken Euch
Nicht Babingtons, nicht Tichburns blut'ge Häupter,
645 Auf Londons Brücke warnend aufgesteckt,
Nicht das Verderben der Unzähligen,
Die ihren Tod in gleichem Wagstück fanden
Und meine Ketten schwerer nur gemacht?
Unglücklicher, verführter Jüngling — flieht!
650 Flieht, wenn's noch Zeit ist — wenn der Späher Burleigh
Nicht jetzt schon Kundschaft hat von Euch, nicht schon
In eure Mitte den Verräter mischte.
Flieht aus dem Reiche schnell! Marien Stuart
Hat noch kein Glücklicher beschützt.

Mortimer.

                          Mich schrecken
655 Nicht Babingtons, nicht Tichburns blut'ge Häupter,
Auf Londons Brücke warnend aufgesteckt,
Nicht das Verderben der unzähl'gen andern,
Die ihren Tod in gleichem Wagstück fanden;
Sie fanden auch darin den ew'gen Ruhm,
660 Und Glück schon ist's, für Eure Rettung sterben.

Maria.

Umsonst! Mich rettet nicht Gewalt, nicht List.
Der Feind ist wachsam, und die Macht ist sein.

Nicht Paulet nur und seiner Wächter Schar,
Ganz England hütet meines Kerkers Thore.
665 Der freie Wille der Elisabeth allein
Kann sie mir aufthun.

Mortimer.
                    O, das hoffet nie!

Maria.
Ein einz'ger Mann lebt, der sie öffnen kann.

Mortimer.
O nennt mir diesen Mann —

Maria.
                    Graf Lester.

Mortimer
tritt erstaunt zurück.
                                        Lester!

Graf Lester! — Euer blutigster Verfolger,
670 Der Günstling der Elisabeth — Von diesem —

Maria.
Bin ich zu retten, ist's allein durch ihn.
— Geht zu ihm! Öffnet Euch ihm frei,
Und zur Gewähr, daß ich's bin, die Euch sendet,
Bringt ihm dies Schreiben! Es enthält mein Bildnis.

Sie zieht ein Papier aus dem Busen, Mortimer tritt zurück und zögert, es anzunehmen.

675 Nehmt hin! Ich trag' es lange schon bei mir,
Weil Eures Oheims strenge Wachsamkeit
Mir jeden Weg zu ihm gehemmt — Euch sandte
Mein guter Engel —

Mortimer.
                    Königin — dies Rätsel —
Erklärt es mir —

Maria.

Graf Lester wird's Euch lösen.
680 Vertraut ihm, er wird Euch vertraun — Wer kommt?

Kennedy
eilfertig eintretend.

Sir Paulet naht mit einem Herrn vom Hofe.

Mortimer.

Es ist Lord Burleigh. Faßt Euch, Königin!
Hört es mit Gleichmut an, was er Euch bringt.

Er entfernt sich durch eine Seitenthür, Kennedy folgt ihm.

Siebenter Auftritt.

Maria. Lord Burleigh, Großschatzmeister von England, und
Ritter Paulet.

Paulet.

Ihr wünschet heut Gewißheit Eures Schicksals,
685 Gewißheit bringt Euch Seine Herrlichkeit,
Mylord von Burleigh. Tragt sie mit Ergebung!

Maria.

Mit Würde, hoff' ich, die der Unschuld ziemt.

Burleigh.

Ich komme als Gesandter des Gerichts.

Maria.

Lord Burleigh leiht dienstfertig dem Gerichte,
690 Dem er den Geist geliehn, nun auch den Mund.

Paulet.

Ihr sprecht, als wüßtet Ihr bereits das Urteil.

Maria.

Da es Lord Burleigh bringt, so weiß ich es.
— Zur Sache, Sir!

Burleigh.

       Ihr habt Euch dem Gericht
Der Zweiundvierzig unterworfen, Lady —

Maria.

695 Verzeiht, Mylord, daß ich Euch gleich zu Anfang
Ins Wort muß fallen — Unterworfen hätt' ich mich
Dem Richterspruch der Zweiundvierzig, sagt Ihr?
Ich habe keineswegs mich unterworfen.
Nie konnt' ich das — ich konnte meinem Rang,
700 Der Würde meines Volks und meines Sohnes
Und aller Fürsten nicht so viel vergeben.
Verordnet ist im englischen Gesetz,
Daß jeder Angeklagte durch Geschworne
Von seinesgleichen soll gerichtet werden.
705 Wer in der Committee ist meinesgleichen?
Nur Könige sind meine Peers.

Burleigh.

         Ihr hörtet
Die Klagartikel an, ließt Euch darüber
Vernehmen vor Gerichte —

Maria.

         Ja, ich habe mich
Durch Hattons arge List verleiten lassen,
710 Bloß meiner Ehre wegen, und im Glauben
An meiner Gründe siegende Gewalt,

Ein Ohr zu leihen jenen Klagepunkten
Und ihren Ungrund darzuthun — Das that ich
Aus Achtung für die würdigen Personen
715 Der Lords, nicht für ihr Amt, das ich verwerfe.

Burleigh.

Ob Ihr sie anerkennt, ob nicht, Mylady,
Das ist nur eine leere Förmlichkeit,
Die des Gerichtes Lauf nicht hemmen kann.
Ihr atmet Englands Luft, genießt den Schutz,
720 Die Wohlthat des Gesetzes, und so seid Ihr
Auch seiner Herrschaft unterthan!

Maria.

                 Ich atme
Die Luft in einem englischen Gefängnis.
Heißt das in England leben, der Gesetze
Wohlthat genießen? Kenn' ich sie doch kaum.
725 Nie hab' ich eingewilligt, sie zu halten.
Ich bin nicht dieses Reiches Bürgerin,
Bin eine freie Königin des Auslands.

Burleigh.

Und denkt Ihr, daß der königliche Name
Zum Freibrief dienen könne, blut'ge Zwietracht
730 In fremdem Lande straflos auszusäen?
Wie stünd' es um die Sicherheit der Staaten,
Wenn das gerechte Schwert der Themis nicht
Die schuld'ge Stirn des königlichen Gastes
Erreichen könnte, wie des Bettlers Haupt?

Maria.

735 Ich will mich nicht der Rechenschaft entziehn;
Die Richter sind es nur, die ich verwerfe.

Burleigh.

Die Richter! Wie, Mylady? Sind es etwa
Vom Pöbel aufgegriffene Verworfne,
Schamlose Zungendrescher, denen Recht
740 Und Wahrheit feil ist, die sich zum Organ
Der Unterdrückung willig dingen lassen?
Sind's nicht die ersten Männer dieses Landes,
Selbständig gnug, um wahrhaft sein zu dürfen,
Um über Fürstenfurcht und niedrige
745 Bestechung weit erhaben sich zu sehn?
Sind's nicht dieselben, die ein edles Volk
Frei und gerecht regieren, deren Namen
Man nur zu nennen braucht, um jeden Zweifel,
Um jeden Argwohn schleunig stumm zu machen?
750 An ihrer Spitze steht der Völkerhirte,
Der fromme Primas von Canterbury,
Der weise Talbot, der des Siegels wahret,
Und Howard, der des Reiches Flotten führt.
Sagt! Konnte die Beherrscherin von England
755 Mehr thun, als aus der ganzen Monarchie
Die Edelsten auslesen und zu Richtern
In diesem königlichen Streit bestellen?
Und wär's zu denken, daß Parteienhaß
Den einzelnen bestäche — können vierzig
760 Erlesne Männer sich in einem Spruche
Der Leidenschaft vereinigen?

Maria
nach einigem Stillschweigen.

Ich höre staunend die Gewalt des Mundes,
Der mir von je so unheilbringend war —
Wie werd' ich mich, ein ungelehrtes Weib,

765 Mit so kunstfert'gem Redner messen können! —
Wohl! Wären diese Lords, wie Ihr sie schildert,
Verstummen müßt' ich, hoffnungslos verloren
Wär' meine Sache, sprächen sie mich schuldig.
Doch diese Namen, die Ihr preisend nennt,
770 Die mich durch ihr Gewicht zermalmen sollen,
Mylord, ganz andre Rollen seh' ich sie
In den Geschichten dieses Landes spielen.
Ich sehe diesen hohen Adel Englands,
Des Reiches majestätischen Senat,
775 Gleich Sklaven des Serails den Sultanslaunen
Heinrichs des Achten, meines Großohms, schmeicheln —
Ich sehe dieses edle Oberhaus,
Gleich feil mit den erkäuflichen Gemeinen,
Gesetze prägen und verrufen, Ehen
780 Auflösen, binden, wie der Mächtige
Gebietet, Englands Fürstentöchter heute
Enterben, mit dem Bastardnamen schänden,
Und morgen sie zu Königinnen krönen.
Ich sehe diese würd'gen Peers mit schnell
785 Vertauschter Überzeugung unter vier
Regierungen den Glauben viermal ändern —

Burleigh.

Ihr nennt Euch fremd in Englands Reichsgesetzen;
In Englands Unglück seid Ihr sehr bewandert.

Maria.

Und das sind meine Richter! — Lord Schatzmeister!
790 Ich will gerecht sein gegen Euch! Seid Ihr's
Auch gegen mich — man sagt, Ihr meint es gut
Mit diesem Staat, mit Eurer Königin,
Seid unbestechlich, wachsam, unermüdet —

Ich will es glauben. Nicht der eigne Nutzen
795 Regiert Euch, Euch regiert allein der Vorteil
Des Souverains, des Landes. Eben darum
Mißtraut Euch, edler Lord, daß nicht der Nutzen
Des Staats Euch als Gerechtigkeit erscheine.
Nicht zweifl' ich dran, es sitzen neben Euch
800 Noch edle Männer unter meinen Richtern.
Doch sie sind Protestanten, Eiferer
Für Englands Wohl, und sprechen über mich,
Die Königin von Schottland, die Papistin!
Es kann der Britte gegen den Schotten nicht
805 Gerecht sein, ist ein uralt Wort — Drum ist
Herkömmlich seit der Väter grauen Zeit,
Daß vor Gericht kein Britte gegen den Schotten,
Kein Schotte gegen jenen zeugen darf.
Die Not gab dieses seltsame Gesetz;
810 Ein tiefer Sinn wohnt in den alten Bräuchen,
Man muß sie ehren, Mylord — die Natur
Warf diese beiden feur'gen Völkerschaften
Auf dieses Brett im Ocean; ungleich
Verteilte sie's, und hieß sie darum kämpfen,
815 Der Tweede schmales Bette trennt allein
Die heft'gen Geister; oft vermischte sich
Das Blut der Kämpfenden in ihren Wellen.
Die Hand am Schwerte, schauen sie sich drohend
Von beiden Ufern an, seit tausend Jahren.
820 Kein Feind bedränget Engelland, dem nicht
Der Schotte sich zum Helfer zugesellte;
Kein Bürgerkrieg entzündet Schottlands Städte,
Zu dem der Britte nicht den Zunder trug.
Und nicht erlöschen wird der Haß, bis endlich

825 Ein Parlament sie brüderlich vereint,
Ein Scepter waltet durch die ganze Insel.

Burleigh.

Und eine Stuart sollte dieses Glück
Dem Reich gewähren?

Maria.

       Warum soll ich's leugnen?
Ja, ich gesteh's, daß ich die Hoffnung nährte,
830 Zwei edle Nationen unterm Schatten
Des Ölbaums frei und fröhlich zu vereinen.
Nicht ihres Völkerhasses Opfer glaub' ich
Zu werden; ihre lange Eifersucht,
Der alten Zwietracht unglücksel'ge Glut
835 Hofft' ich auf ew'ge Tage zu ersticken,
Und, wie mein Ahnherr Richmond die zwei Rosen
Zusammenband nach blut'gem Streit, die Kronen
Schottland und England friedlich zu vermählen.

Burleigh.

Auf schlimmem Weg verfolgtet Ihr dies Ziel,
840 Da Ihr das Reich entzünden, durch die Flammen
Des Bürgerkriegs zum Throne steigen wolltet.

Maria.

Das wollt' ich nicht — beim großen Gott des Himmels!
Wann hätt' ich das gewollt? Wo sind die Proben?

Burleigh.

Nicht Streitens wegen kam ich her. Die Sache
845 Ist keinem Wortgefecht mehr unterworfen.
Es ist erkannt durch vierzig Stimmen gegen zwei,
Daß Ihr die Akte vom vergangnen Jahr
Gebrochen, dem Gesetz verfallen seid.

Es ist verordnet im vergangnen Jahr:
850 „Wenn sich Tumult im Königreich erhübe,
Im Namen und zum Nutzen irgend einer
Person, die Rechte vorgiebt an die Krone,
Daß man gerichtlich gegen sie verfahre,
Bis in den Tod die Schuldige verfolge" —
855 Und da bewiesen ist —

Maria.

        Mylord von Burleigh!
Ich zweifle nicht, daß ein Gesetz, ausdrücklich
Auf mich gemacht, verfaßt, mich zu verderben,
Sich gegen mich wird brauchen lassen — Wehe
Dem armen Opfer, wenn derselbe Mund,
860 Der das Gesetz gab, auch das Urteil spricht!
Könnt Ihr es leugnen, Lord, daß jene Akte
Zu meinem Untergang ersonnen ist?

Burleigh.

Zu Eurer Warnung sollte sie gereichen;
Zum Fallstrick habt Ihr selber sie gemacht.
865 Den Abgrund saht Ihr, der vor Euch sich aufthat
Und treu gewarnet stürzet Ihr hinein.
Ihr wart mit Babington, dem Hochverräter,
Und seinen Mordgesellen einverstanden,
Ihr hattet Wissenschaft von allem, lenktet
870 Aus Eurem Kerker planvoll die Verschwörung.

Maria.

Wann hätt' ich das gethan? Man zeige mir
Die Dokumente auf.

Burleigh.

        Die hat man Euch
Schon neulich vor Gerichte vorgewiesen.

Maria.

Die Kopien, von fremder Hand geschrieben!
875 Man bringe die Beweise mir herbei,
Daß ich sie selbst diktiert, daß ich sie so
Diktiert, gerade so, wie man gelesen.

Burleigh.

Daß es dieselben sind, die er empfangen,
Hat Babington vor seinem Tod bekannt.

Maria.

880 Und warum stellte man ihn mir nicht lebend
Vor Augen? Warum eilte man so sehr,
Ihn aus der Welt zu fördern, eh' man ihn
Mir, Stirne gegen Stirne, vorgeführt?

Burleigh.

Auch Eure Schreiber, Kurl und Nau, erhärten
885 Mit einem Eid, daß es die Briefe seien,
Die sie aus Eurem Munde niederschrieben.

Maria.

Und auf das Zeugnis meiner Hausbedienten
Verdammt man mich? Auf Treu' und Glauben derer,
Die mich verraten, ihre Königin,
890 Die in demselben Augenblick die Treu'
Mir brachen, da sie gegen mich gezeugt?

Burleigh.

Ihr selbst erklärtet sonst den Schotten Kurl
Für einen Mann von Tugend und Gewissen.

Maria.

So kannt' ich ihn — doch eines Mannes Tugend
895 Erprobt allein die Stunde der Gefahr.
Die Folter konnt' ihn ängstigen, daß er

Aussagte und gestand, was er nicht wußte!
Durch falsches Zeugnis glaubt' er sich zu retten,
Und mir, der Königin, nicht viel zu schaden.

Burleigh.

900 Mit einem freien Eid hat er's beschworen.

Maria.

Vor meinem Angesichte nicht! — Wie, Sir?
Das sind zwei Zeugen, die noch beide leben!
Man stelle sie mir gegenüber, lasse sie
Ihr Zeugnis mir ins Antlitz wiederholen!
905 Warum mir eine Gunst, ein Recht verweigern,
Das man dem Mörder nicht versagt? Ich weiß
Aus Talbots Munde, meines vor'gen Hüters,
Daß unter dieser nämlichen Regierung
Ein Reichsschluß durchgegangen, der befiehlt,
910 Den Kläger dem Beklagten vorzustellen.
Wie? Oder hab' ich falsch gehört? — Sir Paulet!
Ich hab' Euch stets als Biedermann erfunden;
Beweist es jetzo! Sagt mir auf Gewissen,
Ist's nicht so? Giebt's kein solch Gesetz in England?

Paulet.

915 So ist's, Mylady. Das ist bei uns Rechtens.
Was wahr ist, muß ich sagen.

Maria.

                Nun, Mylord!
Wenn man mich denn so streng nach englischem Recht
Behandelt, wo dies Recht mich unterdrückt,
Warum dasselbe Landesrecht umgehen,
920 Wenn es mir Wohlthat werden kann? — Antwortet!
Warum ward Babington mir nicht vor Augen

Gestellt, wie das Gesetz befiehlt? Warum
Nicht meine Schreiber, die noch beide leben?

Burleigh.

Ereifert Euch nicht, Lady. Euer Einverständnis
925 Mit Babington ist's nicht allein —

Maria.

Es ist's
Allein, was mich dem Schwerte des Gesetzes
Bloßstellt, wovon ich mich zu rein'gen habe.
Mylord! Bleibt bei der Sache! Beugt nicht aus!

Burleigh.

Es ist bewiesen, daß Ihr mit Mendoza,
930 Dem spanischen Botschafter, unterhandelt —

Maria lebhaft.

Bleibt bei der Sache, Lord!

Burleigh.

Daß Ihr Anschläge
Geschmiedet, die Religion des Landes
Zu stürzen, alle Könige Europens
Zum Krieg mit England aufgeregt —

Maria.

Und wenn ich's
935 Gethan? Ich hab' es nicht gethan — Jedoch
Gesetzt, ich that's! — Mylord, man hält mich hier
Gefangen wider alle Völkerrechte.
Nicht mit dem Schwerte kam ich in dies Land,
Ich kam herein als eine Bittende,
940 Das heil'ge Gastrecht fordernd, in den Arm
Der blutsverwandten Königin mich werfend —

Und so ergriff mich die Gewalt, bereitete
Mir Ketten, wo ich Schutz gehofft — Sagt an!
Ist mein Gewissen gegen diesen Staat
945 Gebunden?　Hab' ich Pflichten gegen England?
Ein heilig Zwangsrecht üb' ich aus, da ich
Aus diesen Banden strebe, Macht mit Macht
Abwende, alle Staaten dieses Weltteils
Zu meinem Schutz aufrühre und bewege.
950 Was irgend nur in einem guten Krieg
Recht ist und ritterlich, das darf ich üben.
Den Mord allein, die heimlich blut'ge That,
Verbietet mir mein Stolz und mein Gewissen;
Mord würde mich beflecken und entehren.
955 Entehren, sag' ich — keinesweges mich
Verdammen, einem Rechtsspruch unterwerfen.
Denn nicht vom Rechte, von Gewalt allein
Ist zwischen mir und Engelland die Rede.

Burleigh bedeutend.

Nicht auf der Stärke schrecklich Recht beruft Euch,
960 Mylady!　Es ist der Gefangenen nicht günstig.

Maria.

Ich bin die Schwache, sie die Mächt'ge. — Wohl,
Sie brauche die Gewalt, sie töte mich,
Sie bringe ihrer Sicherheit das Opfer.
Doch sie gestehe dann, daß sie die Macht
965 Allein, nicht die Gerechtigkeit geübt.
Nicht vom Gesetze borge sie das Schwert,
Sich der verhaßten Feindin zu entladen,
Und kleide nicht in heiliges Gewand
Der rohen Stärke blutiges Erkühnen.
970 Solch Gaukelspiel betrüge nicht die Welt!

Ermorden laſſen kann ſie mich, nicht richten!
Sie geb' es auf, mit des Verbrechens Früchten
Den heil'gen Schein der Tugend zu vereinen,
Und was ſie iſt, das wage ſie zu ſcheinen!   Sie geht ab.

Achter Auftritt.

Burleigh. Paulet.

Burleigh.

975 Sie trotzt uns — wird uns trotzen, Ritter Paulet,
Bis an die Stufen des Schafotts — Dies ſtolze Herz
Iſt nicht zu brechen — Überraſchte ſie
Der Urtelſpruch? Saht Ihr ſie eine Thräne
Vergießen? ihre Farbe nur verändern?
980 Nicht unſer Mitleid ruft ſie an. Wohl kennt ſie
Den Zweifelmut der Königin von England,
Und unſre Furcht iſt's, was ſie mutig macht.

Paulet.

Lord Großſchatzmeiſter! Dieſer eitle Trotz wird ſchnell
Verſchwinden, wenn man ihm den Vorwand raubt.
985 Es ſind Unziemlichkeiten vorgegangen
In dieſem Rechtsſtreit, wenn ich's ſagen darf.
Man hätte dieſen Babington und Tichburn
Ihr in Perſon vorführen, ihre Schreiber
Ihr gegenüberſtellen ſollen.

Burleigh ſchnell.
Nein!

990 Nein, Ritter Paulet! Das war nicht zu wagen.
Zu groß iſt ihre Macht auf die Gemüter

Und ihrer Thränen weibliche Gewalt.
Ihr Schreiber Kurl, ständ' er ihr gegenüber,
Käm' es dazu, das Wort nun auszusprechen,
995 An dem ihr Leben hängt — er würde zaghaft
Zurückziehn, sein Geständnis widerrufen —

Paulet.

So werden Englands Feinde alle Welt
Erfüllen mit gehässigen Gerüchten,
Und des Prozesses festliches Gepräng
1000 Wird als ein kühner Frevel nur erscheinen.

Burleigh.

Dies ist der Kummer unsrer Königin —
Daß diese Stifterin des Unheils doch
Gestorben wäre, ehe sie den Fuß
Auf Englands Boden setzte!

Paulet.

　　　　　Dazu sag' ich Amen.

Burleigh.

1005 Daß Krankheit sie im Kerker aufgerieben!

Paulet.

Viel Unglück hätt' es diesem Land erspart.

Burleigh.

Doch hätt' auch gleich ein Zufall der Natur
Sie hingerafft — wir hießen doch die Mörder.

Paulet.

Wohl wahr. Man kann den Menschen nicht verwehren,
1010 Zu denken, was sie wollen.

Burleigh.

　　　　　Zu beweisen wär's
Doch nicht, und würde weniger Geräusch erregen —

Paulet.

Mag es Geräusch erregen! Nicht der laute,
Nur der gerechte Tadel kann verletzen.

Burleigh.

O! Auch die heilige Gerechtigkeit
1015 Entflieht dem Tadel nicht. Die Meinung hält es
Mit dem Unglücklichen; es wird der Neid
Stets den obsiegend Glücklichen verfolgen.
Das Richterschwert, womit der Mann sich ziert,
Verhaßt ist's in der Frauen Hand. Die Welt
1020 Glaubt nicht an die Gerechtigkeit des Weibes,
Sobald ein Weib das Opfer wird. Umsonst,
Daß wir, die Richter, nach Gewissen sprachen!
Sie hat der Gnade königliches Recht.
Sie muß es brauchen. Unerträglich ist's,
1025 Wenn sie den strengen Lauf läßt dem Gesetze!

Paulet.

Und also —

Burleigh rasch einfallend.

Also soll sie leben? Nein!
Sie darf nicht leben! Nimmermehr! Dies, eben
Dies ist's, was unsre Königin beängstigt —
Warum der Schlaf ihr Lager flieht — Ich lese
1030 In ihren Augen ihrer Seele Kampf,
Ihr Mund wagt ihre Wünsche nicht zu sprechen;
Doch vielbedeutend fragt ihr stummer Blick:
Ist unter allen meinen Dienern keiner,
Der die verhaßte Wahl mir spart, in ew'ger Furcht
1035 Auf meinem Thron zu zittern, oder grausam
Die Königin, die eigne Blutsverwandte,
Dem Beil zu unterwerfen?

Paulet.

Das ist nun die Notwendigkeit, steht nicht zu ändern.

Burleigh.

Wohl stünd's zu ändern, meint die Königin,
1040 Wenn sie nur aufmerksam're Diener hätte.

Paulet.

Aufmerksame?

Burleigh.

            Die einen stummen Auftrag
Zu deuten wissen.

Paulet.

            Einen stummen Auftrag!

Burleigh.

Die, wenn man ihnen eine gift'ge Schlange
Zu hüten gab, den anvertrauten Feind
1045 Nicht wie ein heilig teures Kleinod hüten.

Paulet bedeutungsvoll.

Ein hohes Kleinod ist der gute Name,
Der unbescholtne Ruf der Königin,
Den kann man nicht zu wohl bewachen, Sir!

Burleigh.

Als man die Lady von dem Shrewsbury
1050 Wegnahm und Ritter Paulets Hut vertraute,
Da war die Meinung —

Paulet.

            Ich will hoffen, Sir,
Die Meinung war, daß man den schwersten Auftrag
Den reinsten Händen übergeben wollte.
Bei Gott! Ich hätte dieses Schergenamt
1055 Nicht übernommen, dächt' ich nicht, daß es

Den beſten Mann in England forderte.
Laßt mich nicht denken, daß ich's etwas anderm
Als meinem reinen Rufe ſchuldig bin.

Burleigh.

Man breitet aus, ſie ſchwinde, läßt ſie kränker
1060 Und kränker werden, endlich ſtill verſcheiden;
So ſtirbt ſie in der Menſchen Angedenken —
Und Euer Ruf bleibt rein.

Paulet.

    Nicht mein Gewiſſen.

Burleigh.

Wenn Ihr die eigne Hand nicht leihen wollt,
So werdet Ihr der fremden doch nicht wehren —

Paulet unterbricht ihn.

1065 Kein Mörder ſoll ſich ihrer Schwelle nahn,
Solang' die Götter meines Dachs ſie ſchützen.
Ihr Leben iſt mir heilig, heil'ger nicht
Iſt mir das Haupt der Königin von England.
Ihr ſeid die Richter! Richtet! Brecht den Stab!
1070 Und wenn es Zeit iſt, laßt den Zimmerer
Mit Axt und Säge kommen, das Gerüſt
Aufſchlagen — für den Sherif und den Henker
Soll meines Schloſſes Pforte offen ſein.
Jetzt iſt ſie zur Bewahrung mir vertraut,
1075 Und ſeid gewiß, ich werde ſie bewahren,
Daß ſie nichts Böſes thun ſoll, noch erfahren!

          Gehen ab.

Zweiter Aufzug.

Der Palast zu Westminster.

Erster Auftritt.

Der Graf von Kent und Sir William Davison
begegnen einander.

Davison.

Seid Ihr's, Mylord von Kent? Schon vom Turnierplatz
Zurück, und ist die Festlichkeit zu Ende?

Kent.

Wie? Wohntet Ihr dem Ritterspiel nicht bei?

Davison.

1080 Mich hielt mein Amt.

Kent.

Ihr habt das schönste Schauspiel
Verloren, Sir, das der Geschmack ersonnen,
Und edler Anstand ausgeführt — denn wißt!
Es wurde vorgestellt die keusche Festung
Der Schönheit, wie sie vom Verlangen
1085 Berennt wird — Der Lord Marschall, Oberrichter,
Der Seneschall nebst zehen andern Rittern
Der Königin verteidigten die Festung,
Und Frankreichs Kavaliere griffen an.
Voraus erschien ein Herold, der das Schloß
1090 Aufforderte in einem Madrigale,
Und von dem Wall antwortete der Kanzler.

(50)

Drauf spielte das Geschütz, und Blumensträuße,
Wohlriechend köstliche Essenzen wurden
Aus niedlichen Feldstücken abgefeuert.
1095 Umsonst! die Stürme wurden abgeschlagen,
Und das Verlangen mußte sich zurückziehn.

Davison.

Ein Zeichen böser Vorbedeutung, Graf,
Für die französische Brautwerbung.

Kent.

Nun, nun, das war ein Scherz — Im Ernste, denk' ich,
1100 Wird sich die Festung endlich doch ergeben.

Davison.

Glaubt Ihr?   Ich glaub' es nimmermehr

Kent.

Die schwierigsten Artikel sind bereits
Berichtigt und von Frankreich zugestanden.
Monsieur begnügt sich, in verschlossener
1105 Kapelle seinen Gottesdienst zu halten,
Und öffentlich die Reichsreligion
Zu ehren und zu schützen — Hättet Ihr den Jubel
Des Volks gesehn, als diese Zeitung sich verbreitet!
Denn dieses war des Landes ew'ge Furcht,
1110 Sie möchte sterben ohne Leibeserben,
Und England wieder Papstes Fesseln tragen,
Wenn ihr die Stuart auf dem Throne folgte.

Davison.

Der Furcht kann es entledigt sein — Sie geht
Ins Brautgemach, die Stuart geht zum Tode.

Kent.

1115 Die Königin kommt!

Zweiter Auftritt.

Die Vorigen. Elisabeth, von Leicester geführt. Graf
Aubespine, Bellievre, Graf Shrewsbury, Lord Bur=
leigh mit noch andern französischen und englischen Herren treten
auf.

Elisabeth zu Aubespine.

Graf! ich beklage diese edeln Herrn,
Die ihr galanter Eifer über Meer
Hieher geführt, daß sie die Herrlichkeit
Des Hofs von St. Germain bei mir vermissen.

1120 Ich kann so prächt'ge Götterfeste nicht
Erfinden als die königliche Mutter
Von Frankreich — Ein gesittet fröhlich Volk,
Das sich, so oft ich öffentlich mich zeige,
Mit Segnungen um meine Sänfte drängt,

1125 Dies ist das Schauspiel, das ich fremden Augen
Mit ein'gem Stolze zeigen kann. Der Glanz
Der Edelfräulein, die im Schönheitsgarten
Der Katharina blühn, verbärge nur
Mich selber und mein schimmerlos Verdienst.

Aubespine.

1130 Nur Eine Dame zeigt Westminsterhof
Dem überraschten Fremden — aber alles,
Was an dem reizenden Geschlecht entzückt,
Stellt sich versammelt dar in dieser einen.

Bellievre.

Erhabne Majestät von Engelland,
1135 Vergönne, daß wir unsern Urlaub nehmen,
Und Monsieur, unsern königlichen Herrn,

Mit der ersehnten Freudenpost beglücken.
Ihn hat des Herzens heiße Ungeduld
Nicht in Paris gelassen, er erwartet
1140 Zu Amiens die Boten seines Glücks,
Und bis nach Calais reichen seine Posten,
Das Jawort, das dein königlicher Mund
Aussprechen wird, mit Flügelschnelligkeit
Zu seinem trunknen Ohre hinzutragen.

Elisabeth.

1145 Graf Bellievre, dringt nicht weiter in mich!
Nicht Zeit ist's jetzt, ich wiederhol' es Euch,
Die freud'ge Hochzeitfackel anzuzünden.
Schwarz hängt der Himmel über diesem Land,
Und besser ziemte mir der Trauerflor
1150 Als das Gepränge bräutlicher Gewänder.
Denn nahe droht ein jammervoller Schlag
Mein Herz zu treffen und mein eignes Haus.

Bellievre.

Nur dein Versprechen gieb uns, Königin!
In frohern Tagen folge die Erfüllung.

Elisabeth.

1155 Die Könige sind nur Sklaven ihres Standes;
Dem eignen Herzen dürfen sie nicht folgen.
Mein Wunsch war's immer, unvermählt zu sterben,
Und meinen Ruhm hätt' ich darein gesetzt,
Daß man dereinst auf meinem Grabstein läse:
1160 „Hier ruht die jungfräuliche Königin.“
Doch meine Unterthanen wollen's nicht;
Sie denken jetzt schon fleißig an die Zeit,
Wo ich dahin sein werde — Nicht genug,
Daß jetzt der Segen dieses Land beglückt;

1165 Auch ihrem künft'gen Wohl soll ich mich opfern,
     Auch meine jungfräuliche Freiheit soll ich,
     Mein höchstes Gut, hingeben für mein Volk,
     Und der Gebieter wird mir aufgedrungen.
     Es zeigt mir dadurch an, daß ich ihm nur
1170 Ein Weib bin, und ich meinte doch, regiert
     Zu haben wie ein Mann und wie ein König.
     Wohl weiß ich, daß man Gott nicht dient, wenn man
     Die Ordnung der Natur verläßt, und Lob
     Verdienen sie, die vor mir hier gewaltet,
1175 Daß sie die Klöster aufgethan, und tausend
     Schlachtopfer einer falschverstandnen Andacht
     Den Pflichten der Natur zurückgegeben.
     Doch eine Königin, die ihre Tage
     Nicht ungenützt in müßiger Beschauung
1180 Verbringt, die unverdrossen, unermüdet
     Die schwerste aller Pflichten übt, die sollte
     Von dem Naturzweck ausgenommen sein,
     Der eine Hälfte des Geschlechts der Menschen
     Der andern unterwürfig macht —

                    Aubespine.

1185 Jedwede Tugend, Königin, hast du,
     Auf deinem Thron verherrlicht; nichts ist übrig,
     Als dem Geschlechte, dessen Ruhm du bist,
     Auch noch in seinen eigensten Verdiensten
     Als Muster vorzuleuchten. / Freilich lebt
1190 Kein Mann auf Erden, der es würdig ist,
     Daß du die Freiheit ihm zum Opfer brächtest.
     Doch wenn Geburt, wenn Hoheit, Heldentugend
     Und Männerschönheit einen Sterblichen
     Der Ehre würdig machen, so —

Elisabeth.

                    Kein Zweifel,
1195 Herr Abgesandter, daß ein Ehebündnis
Mit einem königlichen Sohne Frankreichs
Mich ehrt! Ja, ich gesteh' es unverhohlen,
Wenn es sein muß — wenn ich's nicht ändern kann,
Dem Dringen meines Volkes nachzugeben —
1200 Und es wird stärker sein als ich, befürcht' ich —
So kenn' ich in Europa keinen Fürsten,
Dem ich mein höchstes Kleinod, meine Freiheit,
Mit minderm Widerwillen opfern würde.
Laßt dies Geständnis Euch Genüge thun!

Bellievre.

1205 Es ist die schönste Hoffnung; doch es ist
Nur eine Hoffnung, und mein Herr wünscht mehr —

Elisabeth.

Was wünscht er?
Sie zieht einen Ring vom Finger und betrachtet ihn nachdenkend.
                    Hat die Königin doch nichts
Voraus vor dem gemeinen Bürgerweibe!
Das gleiche Zeichen weist auf gleiche Pflicht,
1210 Auf gleiche Dienstbarkeit — Der Ring macht Ehen,
Und Ringe sind's, die eine Kette machen.
— Bringt Seiner Hoheit dies Geschenk! Es ist
Noch keine Kette, bindet mich noch nicht;
Doch kann ein Reif draus werden, der mich bindet.

Bellievre
kniet nieder, den Ring empfangend.

1215 In seinem Namen, große Königin,
Empfang' ich knieend dies Geschenk, und drücke
Den Kuß der Huldigung auf meiner Fürstin Hand!

Elisabeth

zum Grafen Leicester, den sie während der letzten Rede unverwandt
betrachtet hat.

Erlaubt, Mylord!

Sie nimmt ihm das blaue Band ab und hängt es dem Bellievre um.

Bekleidet Seine Hoheit
Mit diesem Schmuck, wie ich Euch hier damit
1220 Bekleide und in meines Ordens Pflichten nehme.
Honny soit qui mal y pense! — Es schwinde
Der Argwohn zwischen beiden Nationen,
Und ein vertraulich Band umschlinge fortan
Die Kronen Frankreich und Britannien!

Aubespine.

1225 Erhabne Königin, dies ist ein Tag
Der Freude! Möcht' er's allen sein, und möchte
Kein Leidender auf dieser Insel trauern!
Die Gnade glänzt auf deinem Angesicht.
O! daß ein Schimmer ihres heitern Lichts
1230 Auf eine unglücksvolle Fürstin fiele,
Die Frankreich und Britannien gleich nahe
Angeht —

Elisabeth.

            Nicht weiter, Graf! Vermengen wir
Nicht zwei ganz unvereinbare Geschäfte.
Wenn Frankreich ernstlich meinen Bund verlangt,
1235 Muß es auch meine Sorgen mit mir teilen,
Und meiner Feinde Freund nicht sein —

Aubespine.

                        Unwürdig
In deinen eignen Augen würd' es handeln,
Wenn es die Unglückselige, die Glaubens=
Verwandte und die Wittwe seines Königs

1240 In diesem Bund vergäße — Schon die Ehre,
Die Menschlichkeit verlangt —

Elisabeth.

In diesem Sinn
Weiß ich sein Fürwort nach Gebühr zu schätzen.
Frankreich erfüllt die Freundespflicht; mir wird
Verstattet sein, als Königin zu handeln.

Sie neigt sich gegen die französischen Herren, welche sich mit den übrigen Lords ehrfurchtsvoll entfernen.

Dritter Auftritt.

Elisabeth. Leicester. Burleigh. Talbot. Die Königin
setzt sich.

Burleigh

1245 Ruhmvolle Königin! Du krönest heut
Die heißen Wünsche deines Volks. Nun erst
Erfreun wir uns der segenvollen Tage,
Die du uns schenkst, da wir nicht zitternd mehr
In eine stürmevolle Zukunft schauen.

1250 Nur eine Sorge kümmert noch dies Land;
Ein Opfer ist's, das alle Stimmen fordern.
Gewähr' auch dieses, und der heut'ge Tag
Hat Englands Wohl auf immerdar gegründet.

Elisabeth.

Was wünscht mein Volk noch? Sprecht, Mylord!

Burleigh.

Es fordert
1255 Das Haupt der Stuart — Wenn du deinem Volk

Der Freiheit köstliches Geschenk, das teuer
Erworbne Licht der Wahrheit willst versichern,
So muß sie nicht mehr sein — Wenn wir nicht ewig
Für dein kostbares Leben zittern sollen,
1260 So muß die Feindin untergehn! — Du weißt es,
Nicht alle deine Britten denken gleich;
Noch viele heimliche Verehrer zählt
Der röm'sche Götzendienst auf dieser Insel.
Die alle nähren feindliche Gedanken;
1265 Nach dieser Stuart steht ihr Herz, sie sind
Im Bunde mit den lothringischen Brüdern,
Den unversöhnten Feinden deines Namens.
Dir ist von dieser wütenden Partei
Der grimmige Vertilgungskrieg geschworen,
1270 Den man mit falschen Höllenwaffen führt.
Zu Rheims, dem Bischofssitz des Kardinals,
Dort ist das Rüsthaus, wo sie Blitze schmieden;
Dort wird der Königsmord gelehrt — Von dort,
Geschäftig, senden sie nach deiner Insel
1275 Die Missionen aus, entschloss'ne Schwärmer,
In allerlei Gewand vermummt — Von dort
Ist schon der dritte Mörder ausgegangen,
Und unerschöpflich, ewig neu erzeugen
Verborgne Feinde sich aus diesem Schlunde.
1280 — Und in dem Schloß zu Fotheringhay sitzt
Die Ate dieses ew'gen Kriegs, die mit
Der Liebesfackel dieses Reich entzündet.
Für sie, die schmeichelnd jedem Hoffnung giebt,
Weiht sich die Jugend dem gewissen Tod —
1285 Sie zu befreien, ist die Losung; sie
Auf deinen Thron zu setzen, ist der Zweck.
Denn dies Geschlecht der Lothringer erkennt

Dein heilig Recht nicht an; du heißest ihnen
Nur eine Räuberin des Throns, gekrönt
1290 Vom Glück! Sie waren's, die die Thörichte
Verführt, sich Englands Königin zu schreiben.
Kein Friede ist mit ihr und ihrem Stamm!
Du mußt den Streich erleiden oder führen.
Ihr Leben ist dein Tod! Ihr Tod dein Leben!

Elisabeth.

1295 Mylord! Ein traurig Amt verwaltet Ihr.
Ich kenne Eures Eifers reinen Trieb,
Weiß, daß gediegne Weisheit aus Euch redet;
Doch diese Weisheit, welche Blut befiehlt,
Ich hasse sie in meiner liebsten Seele.
1300 Sinnt einen mildern Rat aus — Edler Lord
Von Shrewsbury! Sagt Ihr uns Eure Meinung!

Talbot.

Du gabst dem Eifer ein gebührend Lob,
Der Burleighs treue Brust beseelt — Auch mir,
Strömt es mir gleich nicht so beredt vom Munde,
1305 Schlägt in der Brust kein minder treues Herz.
Mögst du noch lange leben, Königin,
Die Freude deines Volks zu sein, das Glück
Des Friedens diesem Reiche zu verlängern!
So schöne Tage hat dies Eiland nie
1310 Gesehn, seit eigne Fürsten es regieren.
Mög' es sein Glück mit seinem Ruhme nicht
Erkaufen! Möge Talbots Auge wenigstens
Geschlossen sein, wenn dies geschieht!

Elisabeth.

Verhüte Gott, daß wir den Ruhm befleckten!

Talbot.

1315 Nun dann, so wirst du auf ein ander Mittel sinnen,
　　Dies Reich zu retten — denn die Hinrichtung
　　Der Stuart ist ein ungerechtes Mittel.
　　Du kannst das Urteil über die nicht sprechen,
　　Die dir nicht unterthänig ist.

Elisabeth.

　　　　　　　　　So irrt
1320 Mein Staatsrat und mein Parlament; im Irrtum
　　Sind alle Richterhöfe dieses Landes,
　　Die mir dies Recht einstimmig zuerkannt —

Talbot.

　　Nicht Stimmenmehrheit ist des Rechtes Probe;
　　England ist nicht die Welt, dein Parlament
1325 Nicht der Verein der menschlichen Geschlechter.
　　Dies heut'ge England ist das künft'ge nicht,
　　Wie's das vergangne nicht mehr ist — Wie sich
　　Die Neigung anders wendet, also steigt
　　Und fällt des Urteils wandelbare Woge.
1330 Sag' nicht, du müssest der Notwendigkeit
　　Gehorchen und dem Dringen deines Volks.
　　Sobald du willst, in jedem Augenblick
　　Kannst du erproben, daß dein Wille frei ist.
　　Versuch's! Erkläre, daß du Blut verabscheust,
1335 Der Schwester Leben willst gerettet sehn;
　　Zeig' denen, die dir anders raten wollen,
　　Die Wahrheit deines königlichen Zorns,
　　Schnell wirst du die Notwendigkeit verschwinden
　　Und Recht in Unrecht sich verwandeln sehn.
1340 Du selbst mußt richten, du allein. Du kannst dich
　　Auf dieses unstät schwanke Rohr nicht lehnen.

Der eignen Milde folge du getrost!
Nicht Strenge legte Gott ins weiche Herz
Des Weibes — Und die Stifter dieses Reichs,
1345 Die auch dem Weib die Herrscherzügel gaben,
Sie zeigten an, daß Strenge nicht die Tugend
Der Könige soll sein in diesem Lande.

Elisabeth.

Ein warmer Anwalt ist Graf Shrewsbury
Für meine Feindin und des Reichs. Ich ziehe
1350 Die Räte vor, die meine Wohlfahrt lieben.

Talbot.

Man gönnt ihr keinen Anwalt, niemand wagt's,
Zu ihrem Vorteil sprechend, deinem Zorn
Sich bloßzustellen — So vergönne mir,
Dem alten Manne, den am Grabesrand
1355 Kein irdisch Hoffen mehr verführen kann,
Daß ich die Aufgegebene beschütze.
Man soll nicht sagen, daß in deinem Staatsrat
Die Leidenschaft, die Selbstsucht eine Stimme
Gehabt, nur die Barmherzigkeit geschwiegen.
1360 Verbündet hat sich alles wider sie,
Du selber hast ihr Antlitz nie gesehn,
Nichts spricht in deinem Herzen für die Fremde.
— Nicht ihrer Schuld red' ich das Wort. Man sagt,
Sie habe den Gemahl ermorden lassen;
1365 Wahr ist's daß sie den Mörder ehlichte.
Ein schwer Verbrechen! — Aber es geschah
In einer finster unglücksvollen Zeit,
Im Angstgedränge bürgerlichen Kriegs,
Wo sie, die Schwache, sich umrungen sah

1370 Von heftigdringenden Vasallen, sich
Dem Mutvollstärksten in die Arme warf —
Wer weiß, durch welcher Künste Macht besiegt.
Denn ein gebrechlich Wesen ist das Weib.

Elisabeth.

Das Weib ist nicht schwach. Es giebt starke Seelen
1375 In dem Geschlecht — Ich will in meinem Beisein
Nichts von der Schwäche des Geschlechtes hören.

Talbot.

Dir war das Unglück eine strenge Schule.
Nicht seine Freudenseite kehrte dir
Das Leben zu. Du sahest keinen Thron
1380 Von ferne, nur das Grab zu deinen Füßen.
Zu Woodstock war's und in des Towers Nacht,
Wo dich der gnäd'ge Vater dieses Landes
Zur ernsten Pflicht durch Trübsal auferzog.
Dort suchte dich der Schmeichler nicht. Früh lernte,
1385 Vom eiteln Weltgeräusche nicht zerstreut,
Dein Geist sich sammeln, denkend in sich gehn
Und dieses Lebens wahre Güter schätzen.
— Die Arme rettete kein Gott. Ein zartes Kind
Ward sie verpflanzt nach Frankreich, an den Hof
1390 Des Leichtsinns, der gedankenlosen Freude.
Dort in der Feste ew'ger Trunkenheit
Vernahm sie nie der Wahrheit ernste Stimme.
Geblendet ward sie von der Laster Glanz,
Und fortgeführt vom Strome des Verderbens.
1395 Ihr ward der Schönheit eitles Gut zu teil,
Sie überstrahlte blühend alle Weiber,
Und durch Gestalt nicht minder als Geburt — —

Elisabeth.

Kommt zu Euch selbst, Mylord von Shrewsbury!
Denkt, daß wir hier im ernsten Rate sitzen.
1400 Das müssen Reize sondergleichen sein,
Die einen Greis in solches Feuer setzen.
— Mylord von Lester! Ihr allein schweigt still?
Was ihn beredt macht, bindet's Euch die Zunge?

Leicester.

Ich schweige vor Erstaunen, Königin,
1405 Daß man dein Ohr mit Schrecknissen erfüllt,
Daß diese Märchen, die in Londons Gassen
Den gläub'gen Pöbel ängsten, bis herauf
In deines Staatsrats heitre Mitte steigen
Und weise Männer ernst beschäftigen.
1410 Verwunderung ergreift mich, ich gesteh's,
Daß diese länderlose Königin
Von Schottland, die den eignen kleinen Thron
Nicht zu behaupten wußte, ihrer eignen
Vasallen Spott, der Auswurf ihres Landes,
1415 Dein Schrecken wird auf einmal im Gefängnis!
— Was, beim Allmächt'gen! machte sie dir furchtbar?
Daß sie dies Reich in Anspruch nimmt, daß dich
Die Guisen nicht als Königin erkennen?
Kann dieser Guisen Widerspruch das Recht
1420 Entkräften, das Geburt dir gab, der Schluß
Der Parlamente dir bestätigte?
Ist sie durch Heinrichs letzten Willen nicht
Stillschweigend abgewiesen, und wird England,
So glücklich im Genuß des neuen Lichts,
1425 Sich der Papistin in die Arme werfen?
Von dir, der angebeteten Monarchin,

Zu Darnleys Mörderin hinüberlaufen?
Was wollen diese ungestümen Menschen,
Die dich noch lebend mit der Erbin quälen,
1430 Dich nicht geschwind genug vermählen können,
Um Staat und Kirche von Gefahr zu retten?
Stehst du nicht blühend da in Jugendkraft,
Welkt jene nicht mit jedem Tag zum Grabe?
Bei Gott! du wirst, ich hoff's, noch viele Jahre
1435 Auf ihrem Grabe wandeln, ohne daß
Du selber sie hinabzustürzen brauchtest —

Burleigh.

Lord Lester hat nicht immer so geurteilt.

Leicester.

Wahr ist's, ich habe selber meine Stimme
Zu ihrem Tod gegeben im Gericht.
1440 — Im Staatsrat sprech' ich anders. Hier ist nicht
Die Rede von dem Recht, nur von dem Vorteil.
Ist's jetzt die Zeit, von ihr Gefahr zu fürchten,
Da Frankreich sie verläßt, ihr einz'ger Schutz,
Da du den Königssohn mit deiner Hand
1445 Beglücken willst, die Hoffnung eines neuen
Regentenstammes diesem Lande blüht?
Wozu sie also töten? Sie ist tot!
Verachtung ist der wahre Tod. Verhüte,
Daß nicht das Mitleid sie ins Leben rufe!
1450 Drum ist mein Rat: Man lasse die Sentenz,
Die ihr das Haupt abspricht, in voller Kraft
Bestehn! Sie lebe — aber unterm Beile
Des Henkers lebe sie, und schnell, wie sich
Ein Arm für sie bewaffnet, fall' es nieder.

Elisabeth steht auf.

1455 Mylords, ich hab' nun eure Meinungen
Gehört, und sag' euch Dank für euren Eifer.
Mit Gottes Beistand, der die Könige
Erleuchtet, will ich eure Gründe prüfen,
Und wählen, was das Bessere mir dünkt.

Vierter Auftritt.

Die Vorigen. Ritter Paulet mit Mortimer.

Elisabeth.

1460 Da kommt Amias Paulet. Edler Sir,
Was bringt Ihr uns?

Paulet.

Glorwürd'ge Majestät!
Mein Neffe, der ohnlängst von weiten Reisen
Zurückgekehrt, wirft sich zu deinen Füßen
Und leistet dir sein jugendlich Gelübde.
1465 Empfange du es gnadenvoll und laß
Ihn wachsen in der Sonne deiner Gunst.

Mortimer
läßt sich auf ein Knie nieder.

Lang' lebe meine königliche Frau,
Und Glück und Ruhm bekröne ihre Stirne!

Elisabeth.

Steht auf! Seid mir willkommen, Sir, in England!
1470 Ihr habt den großen Weg gemacht, habt Frankreich

Bereist und Rom und Euch zu Rheims verweilt.
Sagt mir denn an, was spinnen unsre Feinde?

Mortimer.

Ein Gott verwirre sie und wende rückwärts
Auf ihrer eignen Schützen Brust die Pfeile,
1475 Die gegen meine Königin gesandt sind!

Elisabeth.

Saht Ihr den Morgan und den ränkespinnenden
Bischof von Roße?

Mortimer.

Alle schottische
Verbannte lernt' ich kennen, die zu Rheims
Anschläge schmieden gegen diese Insel.
1480 In ihr Vertrauen stahl ich mich, ob ich
Etwa von ihren Ränken was entdeckte.

Paulet.

Geheime Briefe hat man ihm vertraut,
In Ziffern, für die Königin von Schottland,
Die er mit treuer Hand uns überliefert.

Elisabeth.

1485 Sagt, was sind ihre neuesten Entwürfe?

Mortimer.

Es traf sie alle wie ein Donnerstreich,
Daß Frankreich sie verläßt, den festen Bund
Mit England schließt; jetzt richten sie die Hoffnung
Auf Spanien.

Elisabeth.

So schreibt mir Walsingham.

Mortimer.

1490 Auch eine Bulle, die Papst Sixtus jüngst
Vom Vatikane gegen dich geschleudert,
Kam eben an zu Rheims, als ich's verließ;
Das nächste Schiff bringt sie nach dieser Insel.

Leicester.

Vor solchen Waffen zittert England nicht mehr.

Burleigh.

1495 Sie werden furchtbar in des Schwärmers Hand.

Elisabeth
Mortimern forschend ansehend.

Man gab Euch schuld, daß Ihr zu Rheims die Schulen
Besucht und Euren Glauben abgeschworen?

Mortimer.

Die Miene gab ich mir, ich leugn' es nicht,
So weit ging die Begierde, dir zu dienen!

Elisabeth
zu Paulet, der ihr Papiere überreicht.

1500 Was zieht Ihr da hervor?

Paulet.

Es ist ein Schreiben,
Das dir die Königin von Schottland sendet.

Burleigh
hastig darnach greifend.

Gebt mir den Brief!

Paulet
giebt das Papier der Königin.

Verzeiht, Lord Großschatzmeister!
In meiner Königin selbsteigne Hand

Befahl sie mir den Brief zu übergeben.
1505 Sie sagt mir stets, ich sei ihr Feind. Ich bin
Nur ihrer Laster Feind; was sich verträgt
Mit meiner Pflicht, mag ich ihr gern erweisen.

*Die Königin hat den Brief genommen. Während sie ihn liest, sprechen
Mortimer und Leicester einige Worte heimlich mit einander.*

Burleigh zu Paulet.

Was kann der Brief enthalten? Eitle Klagen,
Mit denen man das mitleidsvolle Herz
1510 Der Königin verschonen soll.

Paulet.

Was er
Enthält, hat sie mir nicht verhehlt. Sie bittet
Um die Vergünstigung, das Angesicht
Der Königin zu sehen.

Burleigh schnell.

Nimmermehr!

Talbot.

Warum nicht? Sie erfleht nichts Ungerechtes.

Burleigh.

1515 Die Gunst des königlichen Angesichts
Hat sie verwirkt, die Mordanstifterin,
Die nach dem Blut der Königin gedürstet.
Wer's treu mit seiner Fürstin meint, der kann
Den falsch verräterischen Rat nicht geben.

Talbot.

1520 Wenn die Monarchin sie beglücken will,
Wollt Ihr der Gnade sanfte Regung hindern?

Burleigh.

Sie ist verurteilt! Unterm Beile liegt
Ihr Haupt. Unwürdig ist's der Majestät,
Das Haupt zu sehen, das dem Tod geweiht ist.
1525 Das Urteil kann nicht mehr vollzogen werden,
Wenn sich die Königin ihr genahet hat,
Denn Gnade bringt die königliche Nähe —

Elisabeth

nachdem sie den Brief gelesen, ihre Thränen trocknend.

Was ist der Mensch! Was ist das Glück der Erde!
Wie weit ist diese Königin gebracht,
1530 Die mit so stolzen Hoffnungen begann,
Die auf den ältsten Thron der Christenheit
Berufen worden, die in ihrem Sinn
Drei Kronen schon aufs Haupt zu setzen meinte!
Welch andre Sprache führt sie jetzt als damals,
1535 Da sie das Wappen Englands angenommen,
Und von den Schmeichlern ihres Hofs sich Königin
Der zwei britann'schen Inseln nennen ließ!
— Verzeiht, Mylords, es schneidet mir ins Herz,
Wehmut ergreift mich, und die Seele blutet,
1540 Daß Irdisches nicht fester steht, das Schicksal
Der Menschheit, das entsetzliche, so nahe
An meinem eignen Haupt vorüberzieht.

Talbot.

O Königin! Dein Herz hat Gott gerührt.
Gehorche dieser himmlischen Bewegung!
1545 Schwer büßte sie fürwahr die schwere Schuld,
Und Zeit ist's, daß die harte Prüfung ende!
Reich' ihr die Hand, der Tiefgefallenen!

Wie eines Engels Lichterscheinung steige
In ihres Kerkers Gräbernacht hinab —

Burleigh.

1550 Sei standhaft, große Königin! Laß nicht
Ein lobenswürdig menschliches Gefühl
Dich irre führen. Raube dir nicht selbst
Die Freiheit, das Notwendige zu thun.
Du kannst sie nicht begnadigen, nicht retten!
1555 So lade nicht auf dich verhaßten Tadel,
Daß du mit grausam höhnendem Triumph
Am Anblick deines Opfers dich geweidet.

Leicester.

Laßt uns in unsern Schranken bleiben, Lords.
Die Königin ist weise, sie bedarf
1560 Nicht unsers Rats, das Würdigste zu wählen.
Die Unterredung beider Königinnen
Hat nichts gemein mit des Gerichtes Gang.
Englands Gesetz, nicht der Monarchin Wille,
Verurteilt die Maria. Würdig ist's
1565 Der großen Seele der Elisabeth,
Daß sie des Herzens schönem Triebe folge,
Wenn das Gesetz den strengen Lauf behält.

Elisabeth.

Geht, meine Lords! Wir werden Mittel finden,
Was Gnade fordert, was Notwendigkeit
1570 Uns auferlegt, geziemend zu vereinen.
Jetzt — tretet ab!

Die Lords gehen. An der Thüre ruft sie den Mortimer zurück.

Sir Mortimer! Ein Wort!

Fünfter Auftritt.

Elisabeth. Mortimer.

Elisabeth

nachdem sie ihn einige Augenblicke forschend mit den Augen gemessen.

Ihr zeigtet einen kecken Mut und seltne
Beherrschung Eurer selbst für Eure Jahre.
Wer schon so früh der Täuschung schwere Kunst
1575 Ausübte, der ist mündig vor der Zeit,
Und er verkürzt sich seine Prüfungsjahre.
    Auf eine große Bahn ruft Euch das Schicksal,
Ich prophezei' es Euch, und mein Orakel
Kann ich, zu Eurem Glücke! selbst vollziehn.

Mortimer.

1580 Erhabene Gebieterin, was ich
Vermag und bin, ist deinem Dienst gewidmet.

Elisabeth.

Ihr habt die Feinde Englands kennen lernen.
Ihr Haß ist unversöhnlich gegen mich,
Und unerschöpflich ihre Blutentwürfe.
1585 Bis diesen Tag zwar schützte mich die Allmacht;
Doch ewig wankt die Kron' auf meinem Haupt,
Solang' sie lebt, die ihrem Schwärmereifer
Den Vorwand leiht und ihre Hoffnung nährt.

Mortimer.

Sie lebt nicht mehr, sobald du es gebietest.

Elisabeth.

1590 Ach, Sir! Ich glaubte mich am Ziele schon
Zu sehn, und bin nicht weiter als am Anfang.

Ich wollte die Gesetze handeln lassen,
Die eigne Hand vom Blute rein behalten.
Das Urteil ist gesprochen. Was gewinn' ich?
1595 Es muß vollzogen werden, Mortimer!
Und ich muß die Vollziehung anbefehlen.
Mich immer trifft der Haß der That. Ich muß
Sie eingestehn, und kann den Schein nicht retten.
Das ist das Schlimmste!

Mortimer.

Was bekümmert dich
1600 Der böse Schein bei der gerechten Sache?

Elisabeth.

Ihr kennt die Welt nicht, Ritter. Was man scheint,
Hat jedermann zum Richter; was man ist, hat keinen.
Von meinem Rechte überzeug' ich niemand,
So muß ich Sorge tragen, daß mein Anteil
1605 An ihrem Tod in ew'gem Zweifel bleibe.
Bei solchen Thaten doppelter Gestalt
Giebt's keinen Schutz als in der Dunkelheit.
Der schlimmste Schritt ist, den man eingesteht;
Was man nicht aufgiebt, hat man nie verloren.

Mortimer ausforschend.

1610 Dann wäre wohl das Beste —

Elisabeth schnell.

Freilich wär's
Das Beste — O, mein guter Engel spricht
Aus Euch. Fahrt fort, vollendet, werter Sir!
Euch ist es Ernst, ihr dringet auf den Grund,
Seid ein ganz andrer Mann als Euer Oheim —

Mortimer betroffen.

1615 Entdecktest du dem Ritter deinen Wunsch?

Elisabeth.

Mich reuet, daß ich's that.

Mortimer.

Entschuldige
Den alten Mann.   Die Jahre machen ihn
Bedenklich.   Solche Wagestücke fordern
Den kecken Mut der Jugend —

Elisabeth schnell.

Darf ich Euch —

Mortimer.

1620 Die Hand will ich dir leihen; rette du
Den Namen, wie du kannst —

Elisabeth.

Ja, Sir!   Wenn Ihr
Mich eines Morgens mit der Botschaft wecket:
Maria Stuart, deine blut'ge Feindin,
Ist heute Nacht verschieden!

Mortimer.

Zählt auf mich!

Elisabeth.

1625 Wann wird mein Haupt sich ruhig schlafen legen?

Mortimer.

Der nächste Neumond ende deine Furcht.

Elisabeth.

— Gehabt Euch wohl, Sir! Laßt es Euch nicht leid thun,
Daß meine Dankbarkeit den Flor der Nacht
Entlehnen muß — Das Schweigen ist der Gott
1630 Der Glücklichen — Die engsten Bande sind's,
Die zärtesten, die das Geheimnis stiftet! Sie geht ab.

Sechster Auftritt.

Mortimer allein.

Geh, falsche, gleisnerische Königin!
Wie du die Welt, so täusch' ich dich.   Recht ist's,
Dich zu verraten, eine gute That!
1635 Seh' ich aus wie ein Mörder?   Lasest du
Ruchlose Fertigkeit auf meiner Stirn?
Trau' nur auf meinen Arm und halte deinen
Zurück!   Gieb dir den frommen Heuchelschein
Der Gnade vor der Welt!   Indessen du
1640 Geheim auf meine Mörderhilfe hoffst,
So werden wir zur Rettung Frist gewinnen!
     Erhöhen willst du mich — zeigst mir von ferne
Bedeutend einen kostbarn Preis — und wärst
Du selbst der Preis und deine Frauengunst!
1645 Wer bist du, Ärmste, und was kannst du geben?
Mich locket nicht des eiteln Ruhmes Geiz!
Bei ihr nur ist des Lebens Reiz —
Um sie, in ew'gem Freudenchore, schweben
Der Anmut Götter und der Jugendlust,
1650 Das Glück der Himmel ist an ihrer Brust,
Du hast nur tote Güter zu vergeben!
Das eine Höchste, was das Leben schmückt,
Wenn sich ein Herz, entzückend und entzückt,
Dem Herzen schenkt in süßem Selbstvergessen,
1655 Die Frauenkrone hast du nie besessen,
Nie hast du liebend einen Mann beglückt!
— Ich muß den Lord erwarten, ihren Brief

Ihm übergeben. Ein verhaßter Auftrag!
Ich habe zu dem Höflinge kein Herz,
1660 Ich selber kann sie retten, ich allein;
Gefahr und Ruhm und auch der Preis sei mein!

Indem er gehen will, begegnet ihm Paulet.

Siebenter Auftritt.

Mortimer. Paulet.

Paulet.

Was sagte dir die Königin?

Mortimer.

Nichts, Sir.
Nichts — von Bedeutung.

Paulet
fixiert ihn mit ernstem Blick.

Höre, Mortimer!
Es ist ein schlüpfrig glatter Grund, auf den
1665 Du dich begeben. Lockend ist die Gunst
Der Könige, nach Ehre geizt die Jugend.
— Laß dich den Ehrgeiz nicht verführen!

Mortimer.

Wart Ihr's nicht selbst, der an den Hof mich brachte?

Paulet.

Ich wünschte, daß ich's nicht gethan. Am Hofe
1670 Ward unsers Hauses Ehre nicht gesammelt.

Steht fest, mein Neffe! Kaufe nicht zu teuer!
Verletze dein Gewissen nicht!

Mortimer.

Was fällt Euch ein? Was für Besorgnisse!

Paulet.

Wie groß dich auch die Königin zu machen
1675 Verspricht — trau' ihrer Schmeichelrede nicht!
Verleugnen wird sie dich, wenn du gehorcht,
Und, ihren eignen Namen rein zu waschen,
Die Blutthat rächen, die sie selbst befahl.

Mortimer.

Die Blutthat, sagt Ihr? —

Paulet.

Weg mit der Verstellung!
1680 Ich weiß, was dir die Königin angesonnen;
Sie hofft, daß deine ruhmbegier'ge Jugend
Willfähr'ger sein wird als mein starres Alter.
Hast du ihr zugesagt? Hast du?

Mortimer.

Mein Oheim!

Paulet.

Wenn du's gethan hast, so verfluch' ich dich,
1685 Und dich verwerfe —

Leicester kommt.

Werter Sir, erlaubt
Ein Wort mit Eurem Neffen. Die Monarchin
Ist gnadenvoll gesinnt für ihn; sie will,
Daß man ihm die Person der Lady Stuart
Uneingeschränkt vertraue — Sie verläßt sich
1690 Auf seine Redlichkeit —

Paulet.

Verläßt sich — Gut!

Leicester.

Was sagt Ihr, Sir?

Paulet.

Die Königin verläßt sich
Auf ihn, und ich, Mylord, verlasse mich
Auf mich und meine beiden offnen Augen.   Er geht ab.

————

Achter Auftritt.

Leicester. Mortimer.

Leicester verwundert.

Was wandelte den Ritter an?

Mortimer.

1695 Ich weiß es nicht — Das unerwartete
Vertrauen, das die Königin mir schenkt —

Leicester
ihn forschend ansehend.

Verdient Ihr, Ritter, daß man Euch vertraut?

Mortimer ebenso.

Die Frage thu' ich Euch, Mylord von Lester.

Leicester.

Ihr hattet mir was ingeheim zu sagen.

Mortimer.

1700 Versichert mir erst, daß ich's wagen darf.

Leicester.

Wer giebt mir die Versicherung für Euch?
— Laßt Euch mein Mißtraun nicht beleidigen!
Ich seh' Euch zweierlei Gesichter zeigen
An diesem Hofe — Eins darunter ist
1705 Notwendig falsch; doch welches ist das wahre?

Mortimer.

Es geht mir ebenso mit Euch, Graf Lester.

Leicester.

Wer soll nun des Vertrauens Anfang machen?

Mortimer.

Wer das Geringere zu wagen hat.

Leicester.

Nun! Der seid Ihr!

Mortimer.

       Ihr seid es! Euer Zeugnis,
1710 Des vielbedeutenden, gewalt'gen Lords,
Kann mich zu Boden schlagen; meins vermag
Nichts gegen Euren Rang und Eure Gunst.

Leicester.

Ihr irrt Euch, Sir. In allem andern bin ich
Hier mächtig, nur in diesem zarten Punkt,
1715 Den ich jetzt Eurer Treu' preisgeben soll,
Bin ich der schwächste Mann an diesem Hof,
Und ein verächtlich Zeugnis kann mich stürzen.

Mortimer.

Wenn sich der allvermögende Lord Lester
So tief zu mir herunterläßt, ein solch
1720 Bekenntnis mir zu thun, so darf ich wohl

Ein wenig höher denken von mir selbst,
Und ihm in Großmut ein Exempel geben.

Leicester.

Geht mir voran im Zutraun, ich will folgen.

Mortimer
den Brief schnell hervorziehend.

Dies sendet Euch die Königin von Schottland.

Leicester
schrickt zusammen und greift hastig darnach.

1725 Sprecht leise, Sir — Was seh' ich! Ach! Es ist
Ihr Bild!
Küßt es und betrachtet es mit stummem Entzücken.

Mortimer
der ihn während des Lesens scharf beobachtet.

Mylord, nun glaub' ich Euch.

Leicester
nachdem er den Brief schnell durchlaufen.

Sir Mortimer! Ihr wißt des Briefes Inhalt?

Mortimer.

Nichts weiß ich.

Leicester.

Nun! Sie hat Euch ohne Zweifel
Vertraut —

Mortimer.

Sie hat mir nichts vertraut. Ihr würdet
1730 Dies Rätsel mir erklären, sagte sie.
Ein Rätsel ist es mir, daß Graf von Lester,
Der Günstling der Elisabeth, Mariens
Erklärter Feind und ihrer Richter einer,
Der Mann sein soll, von dem die Königin

1735 In ihrem Unglück Rettung hofft — Und dennoch
    Muß dem so sein, denn Eure Augen sprechen
    Zu deutlich aus, was Ihr für sie empfindet.

Leicester.

    Entdeckt mir selbst erst, wie es kommt, daß Ihr
    Den feur'gen Anteil nehmt an ihrem Schicksal,
1740 Und was Euch ihr Vertraun erwarb.

Mortimer.

                  Mylord,
    Das kann ich Euch mit wenigem erklären.
    Ich habe meinen Glauben abgeschworen
    Zu Rom, und steh' im Bündnis mit den Guisen.
    Ein Brief des Erzbischofs zu Rheims hat mich
1745 Beglaubigt bei der Königin von Schottland.

Leicester.

    Ich weiß von Eurer Glaubensänderung;
    Sie ist's, die mein Vertrauen zu Euch weckte.
    Gebt mir die Hand. Verzeiht mir meinen Zweifel.
    Ich kann der Vorsicht nicht zu viel gebrauchen,
1750 Denn Walsingham und Burleigh hassen mich;
    Ich weiß, daß sie mir lauernd Netze stellen.
    Ihr konntet ihr Geschöpf und Werkzeug sein,
    Mich in das Garn zu ziehn —

Mortimer.

               Wie kleine Schritte
    Geht ein so großer Lord an diesem Hof!
1755 Graf! Ich beklag' Euch.

Leicester.

              Freudig werf' ich mich
    An die vertraute Freundesbrust, wo ich

Des langen Zwangs mich endlich kann entladen.
Ihr seid verwundert, Sir, daß ich so schnell
Das Herz geändert gegen die Maria.
1760 Zwar in der That haßt' ich sie nie — der Zwang
Der Zeiten machte mich zu ihrem Gegner.
Sie war mir zugedacht seit langen Jahren,
Ihr wißt's, eh' sie die Hand dem Darnley gab,
Als noch der Glanz der Hoheit sie umlachte.
1765 Kalt stieß ich damals dieses Glück von mir;
Jetzt im Gefängnis, an des Todes Pforten
Such' ich sie auf, und mit Gefahr des Lebens.

Mortimer.

Das heißt großmütig handeln!

Leicester.

— Die Gestalt
Der Dinge, Sir, hat sich indes verändert.
1770 Mein Ehrgeiz war es, der mich gegen Jugend
Und Schönheit fühllos machte. Damals hielt ich
Mariens Hand für mich zu klein; ich hoffte
Auf den Besitz der Königin von England.

Mortimer.

Es ist bekannt, daß sie Euch allen Männern
1775 Vorzog —

Leicester.

So schien es, edler Sir — und nun, nach zehn
Verlornen Jahren unverdross'nen Werbens,
Verhaßten Zwangs — O Sir, mein Herz geht auf!
Ich muß des langen Unmuts mich entladen —
Man preist mich glücklich — Wüßte man, was es
1780 Für Ketten sind, um die man mich beneidet —
Nachdem ich zehen bittre Jahre lang

Dem Götzen ihrer Eitelkeit geopfert,
Mich jedem Wechsel ihrer Sultanslaunen
Mit Sklavendemut unterwarf, das Spielzeug
1785 Des kleinen grillenhaften Eigensinns,
Geliebkost jetzt von ihrer Zärtlichkeit,
Und jetzt mit sprödem Stolz zurückgestoßen,
Von ihrer Gunst und Strenge gleich gepeinigt,
Wie ein Gefangener vom Argusblick
1790 Der Eifersucht gehütet, ins Verhör
Genommen wie ein Knabe, wie ein Diener
Gescholten — O, die Sprache hat kein Wort
Für diese Hölle!

Mortimer.

Ich beklag' Euch, Graf.

Leicester.

Täuscht mich am Ziel der Preis! Ein andrer kommt,
1795 Die Frucht des teuren Werbens mir zu rauben.
An einen jungen blühenden Gemahl
Verlier' ich meine lang' besess'nen Rechte!
Heruntersteigen soll ich von der Bühne,
Wo ich so lange als der Erste glänzte.
1800 Nicht ihre Hand allein, auch ihre Gunst
Droht mir der neue Ankömmling zu rauben.
Sie ist ein Weib, und er ist liebenswert.

Mortimer.

Er ist Kathrinens Sohn. In guter Schule
Hat er des Schmeichelns Künste ausgelernt.

Leicester.

1805 So stürzen meine Hoffnungen — Ich suche
In diesem Schiffbruch meines Glücks ein Brett

Zu fassen — und mein Auge wendet sich
Der ersten schönen Hoffnung wieder zu.
Mariens Bild, in ihrer Reize Glanz,
1810 Stand neu vor mir, Schönheit und Jugend traten
In ihre vollen Rechte wieder ein;
Nicht kalter Ehrgeiz mehr, das Herz verglich,
Und ich empfand, welch Kleinod ich verloren.
Mit Schrecken seh' ich sie in tiefes Elend
1815 Herabgestürzt, gestürzt durch mein Verschulden.
Da wird in mir die Hoffnung wach, ob ich
Sie jetzt noch retten könnte und besitzen.
Durch eine treue Hand gelingt es mir,
Ihr mein verändert Herz zu offenbaren,
1820 Und dieser Brief, den Ihr mir überbracht,
Versichert mir, daß sie verzeiht, sich mir
Zum Preise schenken will, wenn ich sie rette.

Mortimer.

Ihr thatet aber nichts zu ihrer Rettung!
Ihr ließt geschehn, daß sie verurteilt wurde,
1825 Gabt Eure Stimme selbst zu ihrem Tod!
Ein Wunder muß geschehn — Der Wahrheit Licht
Muß mich, den Neffen ihres Hüters, rühren,
Im Vatikan zu Rom muß ihr der Himmel
Den unverhofften Retter zubereiten,
1830 Sonst fand sie nicht einmal den Weg zu Euch!

Leicester.

Ach, Sir, es hat mir Qualen gnug gekostet!
Um selbe Zeit ward sie von Talbots Schloß
Nach Fotheringhay weggeführt, der strengen
Gewahrsam Eures Oheims anvertraut.
1835 Gehemmt ward jeder Weg zu ihr; ich mußte

Fortfahren vor der Welt, sie zu verfolgen.
Doch denket nicht, daß ich sie leidend hätte
Zum Tode gehen lassen! Nein, ich hoffte,
Und hoffe noch, das Äußerste zu hindern,
1840 Bis sich ein Mittel zeigt, sie zu befrein.

Mortimer.

Das ist gefunden — Lester, Euer edles
Vertraun verdient Erwiderung. Ich will sie
Befreien, darum bin ich hier, die Anstalt
Ist schon getroffen, Euer mächt'ger Beistand
1845 Versichert uns den glücklichen Erfolg.

Leicester.

Was sagt Ihr? Ihr erschreckt mich. Wie? Ihr wolltet —

Mortimer.

Gewaltsam aufthun will ich ihren Kerker;
Ich hab' Gefährten, alles ist bereit —

Leicester.

Ihr habt Mitwisser und Vertraute! Weh mir!
1850 In welches Wagnis reißt Ihr mich hinein!
Und diese wissen auch um mein Geheimnis?

Mortimer.

Sorgt nicht! Der Plan ward ohne Euch entworfen;
Ohn' Euch wär' er vollstreckt, bestünde sie
Nicht drauf, Euch ihre Rettung zu verdanken.

Leicester.

1855 So könnt Ihr mich für ganz gewiß versichern,
Daß in dem Bund mein Name nicht genannt ist?

Mortimer.

Verlaßt Euch drauf! Wie? So bedenklich, Graf,

Bei einer Botschaft, die Euch Hilfe bringt!
Ihr wollt die Stuart retten und besitzen,
1860 Ihr findet Freunde, plötzlich, unerwartet,
Vom Himmel fallen Euch die nächsten Mittel —
Doch zeigt Ihr mehr Verlegenheit als Freude?

Leicester.

Es ist nichts mit Gewalt. Das Wagestück
Ist zu gefährlich.

Mortimer.
Auch das Säumen ist's!

Leicester.

1865 Ich sag' Euch, Ritter, es ist nicht zu wagen.

Mortimer bitter.

Nein, nicht für Euch, der sie besitzen will!
Wir wollen sie bloß retten, und sind nicht so
Bedenklich —

Leicester.
Junger Mann, Ihr seid zu rasch
In so gefährlich dornenvoller Sache.

Mortimer.

1870 Ihr — sehr bedacht in solchem Fall der Ehre.

Leicester.

Ich seh' die Netze, die uns rings umgeben

Mortimer.

Ich fühle Mut, sie alle zu durchreißen.

Leicester.

Tollkühnheit, Raserei ist dieser Mut.

Mortimer.

Nicht Tapferkeit ist diese Klugheit, Lord.

Leicester.

1875 Euch lüstet's wohl, wie Babington zu enden?

Mortimer.

Euch nicht, des Norfolks Großmut nachzuahmen.

Leicester.

Norfolk hat seine Braut nicht heimgeführt.

Mortimer.

Er hat bewiesen, daß er's würdig war.

Leicester.

Wenn wir verderben, reißen wir sie nach.

Mortimer.

1880 Wenn wir uns schonen, wird sie nicht gerettet.

Leicester.

Ihr überlegt nicht, hört nicht, werdet alles
Mit heftig blindem Ungestüm zerstören,
Was auf so guten Weg geleitet war.

Mortimer.

Wohl auf den guten Weg, den Ihr gebahnt?
1885 Was habt Ihr denn gethan, um sie zu retten?
— Und wie? Wenn ich nun Bube gnug gewesen,
Sie zu ermorden, wie die Königin
Mir anbefahl, wie sie zu dieser Stunde
Von mir erwartet — Nennt mir doch die Anstalt,
1890 Die Ihr gemacht, ihr Leben zu erhalten.

Leicester erstaunt.

Gab Euch die Königin diesen Blutbefehl?

Mortimer.

Sie irrte sich in mir, wie sich Maria
In Euch.

Leicester.

Und Ihr habt zugesagt? Habt Ihr?

Mortimer.

Damit sie andre Hände nicht erkaufe,
1895 Bot ich die meinen an.

Leicester.

Ihr thatet wohl.
Dies kann uns Raum verschaffen. Sie verläßt sich
Auf Euren blut'gen Dienst, das Todesurteil
Bleibt unvollstreckt, und wir gewinnen Zeit —

Mortimer ungeduldig.

Nein, wir verlieren Zeit!

Leicester.

Sie zählt auf Euch;
1900 So minder wird sie Anstand nehmen, sich
Den Schein der Gnade vor der Welt zu geben.
Vielleicht, daß ich durch List sie überrede,
Das Angesicht der Gegnerin zu sehn,
Und dieser Schritt muß ihr die Hände binden.
1905 Burleigh hat recht. Das Urteil kann nicht mehr
Vollzogen werden, wenn sie sie gesehn.
— Ja, ich versuch' es, alles biet' ich auf —

Mortimer.

Und was erreicht Ihr dadurch? Wenn sie sich
In mir getäuscht sieht, wenn Maria fortfährt,
1910 Zu leben — Ist nicht alles wie zuvor?
Frei wird sie niemals! Auch das Mildeste,
Was kommen kann, ist ewiges Gefängnis.
Mit einer kühnen That müßt Ihr doch enden.

Warum wollt Ihr nicht gleich damit beginnen?
1915 In Euren Händen ist die Macht, Ihr bringt
Ein Heer zusammen, wenn Ihr nur den Adel
Auf Euren vielen Schlössern waffnen wollt!
Maria hat noch viel verborgne Freunde;
Der Howard und der Percy edle Häuser,
1920 Ob ihre Häupter gleich gestürzt, sind noch
An Helden reich, sie harren nur darauf,
Daß ein gewalt'ger Lord das Beispiel gebe!
Weg mit Verstellung! Handelt öffentlich!
Verteidigt als ein Ritter die Geliebte,
1925 Kämpft einen edlen Kampf um sie! Ihr seid
Herr der Person der Königin von England,
Sobald Ihr wollt. Lockt sie auf Eure Schlösser,
Sie ist Euch oft dahin gefolgt. Dort zeigt ihr
Den Mann! Sprecht als Gebieter! Haltet sie
1930 Verwahrt, bis sie die Stuart freigegeben!

Leicester.

Ich staune, ich entsetze mich — Wohin
Reißt Euch der Schwindel? — Kennt Ihr diesen Boden?
Wißt Ihr, wie's steht an diesem Hof, wie eng
Dies Frauenreich die Geister hat gebunden?
1935 Sucht nach dem Heldengeist, der ehmals wohl
In diesem Land sich regte — Unterworfen
Ist alles unterm Schlüssel eines Weibes,
Und jedes Mutes Federn abgespannt.
Folgt meiner Leitung! Wagt nichts unbedachtsam!
1940 — Ich höre kommen, geht!

Mortimer.

Maria hofft!
Kehr' ich mit leerem Trost zu ihr zurück?

Leicester.

Bringt ihr die Schwüre meiner ew'gen Liebe!

Mortimer.

Bringt ihr die selbst! Zum Werkzeug ihrer Rettung
Bot ich mich an, nicht Euch zum Liebesboten!

Er geht ab.

———

Neunter Auftritt.

Elisabeth. Leicester.

Elisabeth.

1945 Wer ging da von Euch weg? Ich hörte sprechen.

Leicester
sich auf ihre Rede schnell und erschrocken umwendend.

Es war Sir Mortimer.

Elisabeth.

Was ist Euch, Lord?

So ganz betreten?

Leicester faßt sich.

— Über deinen Anblick!

Ich habe dich so reizend nie gesehn.
Geblendet steh' ich da von deiner Schönheit.
1950 — Ach!

Elisabeth.

Warum seufzt Ihr?

Leicester.

       Hab' ich keinen Grund
Zu seufzen? Da ich deinen Reiz betrachte,
Erneut sich mir der namenlose Schmerz
Des drohenden Verlustes.

Elisabeth.

     Was verliert Ihr?

Leicester.

Dein Herz, dein liebenswürdig Selbst verlier' ich.
1955 Bald wirst du in den jugendlichen Armen
Des feurigen Gemahls dich glücklich fühlen,
Und ungeteilt wird er dein Herz besitzen.
Er ist von königlichem Blut, das bin
Ich nicht; doch Trotz sei aller Welt geboten,
1960 Ob einer lebt auf diesem Erdenrund,
Der mehr Anbetung für dich fühlt als ich.
Der Duc von Anjou hat dich nie gesehn,
Nur deinen Ruhm und Schimmer kann er lieben.
Ich liebe dich. Wärst du die ärmste Hirtin,
1965 Ich als der größte Fürst der Welt geboren,
Zu deinem Stand würd' ich heruntersteigen,
Mein Diadem zu deinen Füßen legen.

Elisabeth.

Beklag' mich, Dudley, schilt mich nicht! — Ich darf ja
Mein Herz nicht fragen. Ach! das hätte anders
1970 Gewählt. Und wie beneid' ich andre Weiber,
Die das erhöhen dürfen, was sie lieben.
So glücklich bin ich nicht, daß ich dem Manne,
Der mir vor allen teuer ist, die Krone
Aufsetzen kann! — Der Stuart ward's vergönnt,

1975 Die Hand nach ihrer Neigung zu verschenken;
 Die hat sich jegliches erlaubt, sie hat
 Den vollen Kelch der Freuden ausgetrunken.

Leicester.

Jetzt trinkt sie auch den bittern Kelch des Leidens.

Elisabeth.

Sie hat der Menschen Urteil nichts geachtet.
1980 Leicht wurd' es ihr zu leben, nimmer lud sie
 Das Joch sich auf, dem ich mich unterwarf.
 Hätt' ich doch auch Ansprüche machen können,
 Des Lebens mich, der Erde Lust zu freun;
 Doch zog ich strenge Königspflichten vor.
1985 Und doch gewann sie aller Männer Gunst,
 Weil sie sich nur befliß, ein Weib zu sein,
 Und um sie buhlt die Jugend und das Alter.
 So sind die Männer. Lüstlinge sind alle!
 Dem Leichtsinn eilen sie, der Freude zu,
1990 Und schätzen nichts, was sie verehren müssen.
 Verjüngte sich nicht dieser Talbot selbst,
 Als er auf ihren Reiz zu reden kam!

Leicester.

Vergieb es ihm! Er war ihr Wächter einst;
 Die List'ge hat mit Schmeicheln ihn bethört.

Elisabeth.

1995 Und ist's denn wirklich wahr, daß sie so schön ist?
 So oft mußt' ich die Larve rühmen hören;
 Wohl möcht' ich wissen, was zu glauben ist.
 Gemälde schmeicheln, Schilderungen lügen,
 Nur meinen eignen Augen würd' ich traun.

2000 — Was schaut Ihr mich so seltsam an?

Leicester.

　　　　　　　　　　　　　　Ich stellte
Dich in Gedanken neben die Maria.
— Die Freude wünscht' ich mir, ich berg' es nicht,
Wenn es ganz in geheim geschehen könnte,
Der Stuart gegenüber dich zu sehn!
2005 Dann solltest du erst deines ganzen Siegs
Genießen! Die Beschämung gönnt' ich ihr,
Daß sie mit eignen Augen — denn der Neid
Hat scharfe Augen — überzeugt sich sähe,
Wie sehr sie auch an Adel der Gestalt
2010 Von dir besiegt wird, der sie so unendlich
In jeder andern würd'gen Tugend weicht.

Elisabeth.

Sie ist die Jüngere an Jahren.

Leicester.

　　　　　　　　　　　　　Jünger!
Man sieht's ihr nicht an. Freilich, ihre Leiden!
Sie mag wohl vor der Zeit gealtert haben.
2015 Ja, und was ihre Kränkung bittrer machte,
Das wäre, dich als Braut zu sehn! Sie hat
Des Lebens schöne Hoffnung hinter sich,
Dich sähe sie dem Glück entgegenschreiten!
Und als die Braut des Königssohns von Frankreich,
2020 Da sie sich stets so viel gewußt, so stolz
Gethan mit der französischen Vermählung,
Noch jetzt auf Frankreichs mächt'ge Hilfe pocht!

Elisabeth nachlässig hinwerfend.

Man peinigt mich ja, sie zu sehn.

Leicester lebhaft.

Sie fordert's

Als eine Gunst, gewähr' es ihr als Strafe!
2025 Du kannst sie auf das Blutgerüste führen,
Es wird sie minder peinigen, als sich
Von deinen Reizen ausgelöscht zu sehn.
Daburch ermordest du sie, wie sie dich
Ermorden wollte — Wenn sie deine Schönheit
2030 Erblickt, durch Ehrbarkeit bewacht, in Glorie
Gestellt durch einen unbefleckten Tugendruf,
Den sie, leichtsinnig buhlend, von sich warf,
Erhoben durch der Krone Glanz, und jetzt
Durch zarte Bräutlichkeit geschmückt — dann hat
2035 Die Stunde der Vernichtung ihr geschlagen.
Ja — wenn ich jetzt die Augen auf dich werfe —
Nie warst du, nie zu einem Sieg der Schönheit
Gerüsteter als eben jetzt — Mich selbst
Hast du umstrahlt wie eine Lichterscheinung,
2040 Als du vorhin ins Zimmer tratest — Wie?
Wenn du gleich jetzt, jetzt wie du bist, hinträtest
Vor sie, du findest keine schönre Stunde —

Elisabeth.

Jetzt — Nein — Nein — Jetzt nicht, Lester — Nein, das
muß ich
Erst wohl bedenken — mich mit Burleigh —

Leicester lebhaft einfallend.

Burleigh!

2045 Der denkt allein auf deinen Staatsvorteil;
Auch deine Weiblichkeit hat ihre Rechte;
Der zarte Punkt gehört vor dein Gericht,
Nicht vor des Staatsmanns — ja, auch Staatskunst will es,

Daß du sie siehst, die öffentliche Meinung
2050 Durch eine That der Großmut dir gewinnest!
Magst du nachher dich der verhaßten Feindin,
Auf welche Weise dir's gefällt, entladen.

Elisabeth.

Nicht wohlanständig wär' mir's, die Verwandte
Im Mangel und in Schmach zu sehn. Man sagt,
2055 Daß sie nicht königlich umgeben sei,
Vorwerfend wär' mir ihres Mangels Anblick.

Leicester.

Nicht ihrer Schwelle brauchst du dich zu nahn.
Hör' meinen Rat! Der Zufall hat es eben
Nach Wunsch gefügt. Heut ist das große Jagen,
2060 An Fotheringhay führt der Weg vorbei,
Dort kann die Stuart sich im Park ergehn,
Du kommst ganz wie von ohngefähr dahin,
Es darf nichts als vorher bedacht erscheinen,
Und wenn es dir zuwider, redest du
2065 Sie gar nicht an —

Elisabeth.

                    Begeh' ich eine Thorheit,
So ist es Eure, Lester, nicht die meine.
Ich will Euch heute keinen Wunsch versagen,
Weil ich von meinen Unterthanen allen
Euch heut am wehesten gethan. *Ihn zärtlich ansehend.*
2070 Sei's eine Grille nur von Euch. Dadurch
Giebt Neigung sich ja kund, daß sie bewilligt
Aus freier Gunst, was sie auch nicht gebilligt.

Leicester stürzt zu ihren Füßen, der Vorhang fällt.

Dritter Aufzug.

Gegend in einem Park. Vorn mit Bäumen besetzt, hinten eine weite Aussicht.

Erster Auftritt.

Maria tritt in schnellem Lauf hinter Bäumen hervor. Hanna Kennedy folgt langsam.

Kennedy.

Ihr eilet ja, als wenn Ihr Flügel hättet,
So kann ich Euch nicht folgen, wartet doch!

Maria.

2075 Laß mich der neuen Freiheit genießen,
Laß mich ein Kind sein, sei es mit!
Und auf dem grünen Teppich der Wiesen
Prüfen den leichten, geflügelten Schritt.
Bin ich dem finstern Gefängnis entstiegen?
2080 Hält sie mich nicht mehr, die traurige Gruft?
Laß mich in vollen, in durstigen Zügen
Trinken die freie, die himmlische Luft.

Kennedy.

O meine teure Lady! Euer Kerker
Ist nur um ein klein Weniges erweitert.
2085 Ihr seht nur nicht die Mauer, die uns einschließt,
Weil sie der Bäume dicht Gesträuch versteckt.

(95)

Maria.

O Dank, Dank diesen freundlich grünen Bäumen,
Die meines Kerkers Mauern mir verstecken!
Ich will mich frei und glücklich träumen,
2090 Warum aus meinem süßen Wahn mich wecken?
Umfängt mich nicht der weite Himmelsschoß?
Die Blicke, frei und fessellos,
Ergehen sich in ungemess'nen Räumen.
Dort, wo die grauen Nebelberge ragen,
2095 Fängt meines Reiches Grenze an,
Und diese Wolken, die nach Mittag jagen,
Sie suchen Frankreichs fernen Ocean.
           Eilende Wolken!   Segler der Lüfte!
           Wer mit euch wanderte, mit euch schiffte!
2100   Grüßet mir freundlich mein Jugendland!
           Ich bin gefangen, ich bin in Banden,
           Ach, ich hab' keinen andern Gesandten!
           Frei in Lüften ist eure Bahn,
           Ihr seid nicht dieser Königin unterthan.

Kennedy.

2105 Ach, teure Lady!   Ihr seid außer Euch,
Die langentbehrte Freiheit macht Euch schwärmen.

Maria.

           Dort legt ein Fischer den Nachen an!
           Dieses elende Werkzeug könnte mich retten,
           Brächte mich schnell zu befreundeten Städten.
2110   Spärlich nährt es den dürftigen Mann.
           Beladen wollt' ich ihn reich mit Schätzen,
           Einen Zug sollt' er thun, wie er keinen gethan,
           Das Glück sollt' er finden in seinen Netzen,
           Nähm' er mich ein in den rettenden Kahn.

Kennedy.

2115 Verlorne Wünsche! Seht Ihr nicht, daß uns
Von ferne dort die Spähertritte folgen?
Ein finster grausames Verbot scheucht jedes
Mitleidige Geschöpf aus unserm Wege.

Maria.

Nein, gute Hanna. Glaub' mir, nicht umsonst
2120 Ist meines Kerkers Thor geöffnet worden.
Die kleine Gunst ist mir des größern Glücks
Verkünderin. Ich irre nicht. Es ist
Der Liebe thät'ge Hand, der ich sie danke;
Lord Lesters mächt'gen Arm erkenn' ich drin.
2125 Allmählich will man mein Gefängnis weiten,
Durch Kleineres zum Größern mich gewöhnen,
Bis ich das Antlitz dessen endlich schaue,
Der mir die Bande löst auf immerdar.

Kennedy.

Ach, ich kann diesen Widerspruch nicht reimen!
2130 Noch gestern kündigt man den Tod Euch an,
Und heute wird Euch plötzlich solche Freiheit.
Auch denen, hört' ich sagen, wird die Kette
Gelöst, auf die die ew'ge Freiheit wartet.

Maria.

Hörst du das Hifthorn? Hörst du's klingen,
2135 Mächtigen Rufes, durch Feld und Hain?
Ach, auf das mutige Roß mich zu schwingen,
An den fröhlichen Zug mich zu reihn!
Noch mehr! O die bekannte Stimme,
Schmerzlich süßer Erinnerung voll.
2140 Oft vernahm sie mein Ohr mit Freuden
Auf des Hochlands bergichten Heiden,
Wenn die tobende Jagd erscholl.

Zweiter Auftritt.

Paulet. Die Vorigen.

Paulet.

Nun! Hab' ich's endlich recht gemacht, Mylady?
Verdien' ich einmal Euren Dank?

Maria.

              Wie, Ritter?
2145 Seid Ihr's, der diese Gunst mir ausgewirkt?
Ihr seid's?

Paulet.

        Warum soll ich's nicht sein? Ich war
Am Hof, ich überbrachte Euer Schreiben —

Maria.

Ihr übergabt es? Wirklich, thatet Ihr's?
Und diese Freiheit, die ich jetzt genieße,
2150 Ist eine Frucht des Briefs —

Paulet mit Bedeutung.

              Und nicht die einz'ge!
Macht Euch auf eine größre noch gefaßt!

Maria.

Auf eine größre, Sir? Was meint Ihr damit?

Paulet.

Ihr hörtet doch die Hörner —

Maria
zurückfahrend, mit Ahnung.

              Ihr erschreckt mich!

Paulet.

Die Königin jagt in dieser Gegend.

Maria.

Was?

Paulet.

2155 In wenig Augenblicken steht sie vor Euch.

Kennedy

auf Maria zueilend, welche zittert und hinzusinken droht.

Wie wird Euch, teure Lady! Ihr verblaßt.

Paulet.

Nun! ist's nun nicht recht? War's nicht Eure Bitte?
Sie wird Euch früher gewährt, als Ihr gedacht.
Ihr wart sonst immer so geschwinder Zunge,
2160 Jetzt bringet Eure Worte an, jetzt ist
Der Augenblick, zu reden!

Maria.

O, warum hat man mich nicht vorbereitet!
Jetzt bin ich nicht darauf gefaßt, jetzt nicht.
Was ich mir als die höchste Gunst erbeten,
2165 Dünkt mir jetzt schrecklich, fürchterlich — Komm, Hanna,
Führ' mich ins Haus, daß ich mich fasse, mich
Erhole —

Paulet.

Bleibt! Ihr müßt sie hier erwarten.
Wohl, wohl mag's Euch beängstigen, ich glaub's,
Vor Eurem Richter zu erscheinen.

Dritter Auftritt.

Graf Shrewsbury zu den Vorigen.

Maria.

2170 Es ist nicht darum! Gott, mir ist ganz anders
Zu Mut — Ach, edler Shrewsbury! Ihr kommt,
Vom Himmel mir ein Engel zugesendet!
— Ich kann sie nicht sehn! Rettet, rettet mich
Von dem verhaßten Anblick —

Shrewsbury.

2175 Kommt zu Euch, Königin! Faßt Euren Mut
Zusammen! Das ist die entscheidungsvolle Stunde.

Maria.

Ich habe drauf geharret — Jahre lang
Mich darauf bereitet, alles hab' ich mir
Gesagt und ins Gedächtnis eingeschrieben,
2180 Wie ich sie rühren wollte und bewegen!
Vergessen plötzlich, ausgelöscht ist alles,
Nichts lebt in mir in diesem Augenblick,
Als meiner Leiden brennendes Gefühl.
In blut'gen Haß gewendet wider sie
2185 Ist mir das Herz, es fliehen alle guten
Gedanken, und die Schlangenhaare schüttelnd
Umstehen mich die finstern Höllengeister.

Shrewsbury.

Gebietet Eurem wild empörten Blut,
Bezwingt des Herzens Bitterkeit! Es bringt
2190 Nicht gute Frucht, wenn Haß dem Haß begegnet.
Wie sehr auch Euer Innres widerstrebe,

Gehorcht der Zeit und dem Gesetz der Stunde!
Sie ist die Mächtige — Demütigt Euch!

Maria.

Vor ihr! Ich kann es nimmermehr.

Shrewsbury.

Thut's dennoch!

2195 Sprecht ehrerbietig, mit Gelassenheit!
Ruft ihre Großmut an, trotzt nicht, jetzt nicht
Auf Euer Recht, jetzo ist nicht die Stunde.

Maria.

Ach, mein Verderben hab' ich mir erfleht,
Und mir zum Fluche wird mein Flehn erhört!
2200 Nie hätten wir uns sehen sollen, niemals!
Daraus kann nimmer, nimmer Gutes kommen!
Eh' mögen Feu'r und Wasser sich in Liebe
Begegnen, und das Lamm den Tiger küssen —
Ich bin zu schwer verletzt — sie hat zu schwer
2205 Beleidigt — Nie ist zwischen uns Versöhnung!

Shrewsbury.

Seht sie nur erst von Angesicht!
Ich sah es ja, wie sie von Eurem Brief
Erschüttert war, ihr Auge schwamm in Thränen.
Nein, sie ist nicht gefühllos, hegt Ihr selbst
2210 Nur besseres Vertrauen — Darum eben
Bin ich vorausgeeilt, damit ich Euch
In Fassung setzen und ermahnen möchte.

Maria seine Hand ergreifend.

Ach, Talbot! Ihr wart stets mein Freund — Daß ich
In Eurer milden Haft geblieben wäre!
2215 Es ward mir hart begegnet, Shrewsbury!

Shrewsbury.

Vergeßt jetzt alles! Darauf denkt allein,
Wie Ihr sie unterwürfig wollt empfangen.

Maria.

Ist Burleigh auch mit ihr, mein böser Engel?

Shrewsbury.

Niemand begleitet sie, als Graf von Lester.

Maria.

2220 Lord Lester!

Shrewsbury.

      Fürchtet nichts von ihm! Nicht er
Will Euren Untergang — Sein Werk ist es,
Daß Euch die Königin die Zusammenkunft
Bewilligt.

Maria.

    Ach! Ich wußt' es wohl!

Shrewsbury.

            Was sagt Ihr?

Paulet.

Die Königin kommt!

Alles weicht auf die Seite, nur Maria bleibt, auf die Kennedy gelehnt.

———————

Vierter Auftritt.

Die Vorigen. Elisabeth. Graf Leicester. Gefolge.

Elisabeth zu Leicester.

2225 Wie heißt der Landsitz?

Leicester.

    Fotheringhayschloß.

Elisabeth zu Shrewsbury.

Schickt unser Jagdgefolg voraus nach London!
Das Volk drängt allzu heftig in den Straßen,
Wir suchen Schutz in diesem stillen Park.

Talbot entfernt das Gefolge. Sie fixiert mit den Augen die Maria, indem
sie zu Paulet weiter spricht.

Mein gutes Volk liebt mich zu sehr. Unmäßig,
2230 Abgöttisch sind die Zeichen seiner Freude,
So ehrt man einen Gott, nicht einen Menschen.

Maria

welche diese Zeit über halb ohnmächtig auf die Amme gelehnt war, erhebt sich
jetzt, und ihr Auge begegnet dem gespannten Blick der Elisabeth. Sie
schaudert zusammen und wirft sich wieder an der Amme Brust.

O Gott, aus diesen Zügen spricht kein Herz!

Elisabeth.

Wer ist die Lady?

Ein allgemeines Schweigen.

Leicester.

— Du bist zu Fotheringhay, Königin.

Elisabeth

stellt sich überrascht und erstaunt, einen finstern Blick auf Leicestern richtend.

2235 Wer hat mir das gethan? Lord Lester!

Leicester.

Es ist geschehen, Königin — und nun
Der Himmel deinen Schritt hierher gelenkt,
So laß die Großmut und das Mitleid siegen!

Shrewsbury.

Laß dich erbitten, königliche Frau,
2240 Dein Aug' auf die Unglückliche zu richten,
Die hier vergeht vor deinem Anblick.

Maria rafft sich zusammen und will auf die Elisabeth zugehen, steht aber auf halbem Weg schaudernd still; ihre Gebärden drücken den heftigsten Kampf aus.

Elisabeth.

Wie, Mylords?
Wer war es denn, der eine Tiefgebeugte
Mir angekündigt? Eine Stolze find' ich,
Vom Unglück keineswegs geschmeidigt.

Maria.

Sei's!
2245 Ich will mich auch noch diesem unterwerfen.
Fahr hin, ohnmächt'ger Stolz der edeln Seele!
Ich will vergessen, wer ich bin, und was
Ich litt; ich will vor ihr mich niederwerfen,
Die mich in diese Schmach herunterstieß.

Sie wendet sich gegen die Königin.

2250 Der Himmel hat für Euch entschieden, Schwester!
Gekrönt vom Sieg ist Euer glücklich Haupt;
Die Gottheit bet' ich an, die Euch erhöhte!

Sie fällt vor ihr nieder.

Doch seid auch Ihr nun edelmütig, Schwester
Laßt mich nicht schmachvoll liegen! Eure Hand
2255 Streckt aus, reicht mir die königliche Rechte,
Mich zu erheben von dem tiefen Fall!

Elisabeth zurücktretend.

Ihr seid an Eurem Platz, Lady Maria!
Und dankend preis' ich meines Gottes Gnade,

Der nicht gewollt, daß ich zu Euren Füßen
2260 So liegen sollte, wie Ihr jetzt zu meinen.

Maria mit steigendem Affekt.

Denkt an den Wechsel alles Menschlichen!
Es leben Götter, die den Hochmut rächen!
Verehret, fürchtet sie, die schrecklichen,
Die mich zu Euren Füßen niederstürzen —
2265 Um dieser fremden Zeugen willen, ehrt
In mir Euch selbst! entweihet, schändet nicht
Das Blut der Tudor, das in meinen Adern,
Wie in den Euren, fließt — O Gott im Himmel!
Steht nicht da, schroff und unzugänglich wie
2270 Die Felsenklippe, die der Strandende
Vergeblich ringend zu erfassen strebt.
Mein Alles hängt, mein Leben, mein Geschick,
An meiner Worte, meiner Thränen Kraft;
Löst mir das Herz, daß ich das Eure rühre!
2275 Wenn Ihr mich anschaut mit dem Eisesblick,
Schließt sich das Herz mir schaudernd zu, der Strom
Der Thränen stockt, und kaltes Grausen fesselt
Die Flehensworte mir im Busen an.

Elisabeth kalt und streng.

Was habt Ihr mir zu sagen, Lady Stuart?
2280 Ihr habt mich sprechen wollen. Ich vergesse
Die Königin, die schwer beleidigte,
Die fromme Pflicht der Schwester zu erfüllen,
Und meines Anblicks Trost gewähr' ich Euch.
Dem Trieb der Großmut folg' ich, setze mich
2285 Gerechtem Tadel aus, daß ich so weit
Heruntersteige — denn Ihr wißt,
Daß Ihr mich habt ermorden lassen wollen.

Maria.

Womit soll ich den Anfang machen, wie
Die Worte klüglich stellen, daß sie Euch
2290 Das Herz ergreifen, aber nicht verletzen!
O Gott, gieb meiner Rede Kraft, und nimm
Ihr jeden Stachel, der verwunden könnte!
Kann ich doch für mich selbst nicht sprechen, ohne Euch
Schwer zu verklagen, und das will ich nicht.
2295 — Ihr habt an mir gehandelt, wie nicht recht ist,
Denn ich bin eine Königin wie Ihr,
Und Ihr habt als Gefangne mich gehalten.
Ich kam zu Euch als eine Bittende,
Und Ihr, des Gastrechts heilige Gesetze,
2300 Der Völker heilig Recht in mir verhöhnend,
Schloßt mich in Kerkermauern ein; die Freunde,
Die Diener werden grausam mir entrissen,
Unwürd'gem Mangel werd' ich preisgegeben,
Man stellt mich vor ein schimpfliches Gericht —
2305 Nichts mehr davon! Ein ewiges Vergessen
Bedecke, was ich Grausames erlitt.
— Seht! Ich will alles eine Schickung nennen;
Ihr seid nicht schuldig, ich bin auch nicht schuldig;
Ein böser Geist stieg aus dem Abgrund auf,
2310 Den Haß in unsern Herzen zu entzünden,
Der unsre zarte Jugend schon entzweit.
Er wuchs mit uns, und böse Menschen fachten
Der unglücksel'gen Flamme Atem zu.
Wahnsinn'ge Eiferer bewaffneten
2315 Mit Schwert und Dolch die unberufne Hand —
Das ist das Fluchgeschick der Könige,
Daß sie, entzweit, die Welt in Haß zerreißen

Und jeder Zwietracht Furien entfesseln.
— Jetzt ist kein fremder Mund mehr zwischen uns,

nähert sich ihr zutraulich und mit schmeichelndem Ton.

2320 Wir stehn einander selbst nun gegenüber.
Jetzt, Schwester, redet! Nennt mir meine Schuld;
Ich will Euch völliges Genügen leisten.
Ach, daß Ihr damals mir Gehör geschenkt,
Als ich so dringend Euer Auge suchte!
2325 Es wäre nie so weit gekommen, nicht·
An diesem traur'gen Ort geschähe jetzt
Die unglückselig traurige Begegnung.

Elisabeth.

Mein guter Stern bewahrte mich davor,
Die Natter an den Busen mir zu legen.
2330 — Nicht die Geschicke, Euer schwarzes Herz
Klagt an, die wilde Ehrsucht Eures Hauses.
Nichts Feindliches war zwischen uns geschehn,
Da kündigte mir Euer Ohm, der stolze,
Herrschwüt'ge Priester, der die freche Hand
2335 Nach allen Kronen streckt, die Fehde an,
Bethörte Euch, mein Wappen anzunehmen,
Euch meine Königstitel zuzueignen,
Auf Tod und Leben in den Kampf mit mir
Zu gehn — Wen rief er gegen mich nicht auf?
2340 Der Priester Zungen und der Völker Schwert,
Des frommen Wahnsinns fürchterliche Waffen;
Hier selbst, im Friedenssitze meines Reichs,
Blies er mir der Empörung Flammen an —
Doch Gott ist mit mir, und der stolze Priester
2345 Behält das Feld nicht — meinem Haupte war
Der Streich gedrohet, und das Eure fällt!

Maria.

Ich steh' in Gottes Hand. Ihr werdet Euch
So blutig Eurer Macht nicht überheben —

Elisabeth.

Wer soll mich hindern? Euer Oheim gab
2350 Das Beispiel allen Königen der Welt,
Wie man mit seinen Feinden Frieden macht.
Die Sankt Barthelemi sei meine Schule!
Was ist mir Blutsverwandtschaft, Völkerrecht?
Die Kirche trennet aller Pflichten Band,
2355 Den Treubruch heiligt sie, den Königsmord;
Ich übe nur, was Eure Priester lehren.
Sagt! Welches Pfand gewährte mir für Euch,
Wenn ich großmütig Eure Bande löste?
Mit welchem Schloß verwahr' ich Eure Treue,
2360 Das nicht Sankt Peters Schlüssel öffnen kann?
Gewalt nur ist die einz'ge Sicherheit;
Kein Bündnis ist mit dem Gezücht der Schlangen.

Maria.

O, das ist Euer traurig finstrer Argwohn!
Ihr habt mich stets als eine Feindin nur
2365 Und Fremdlingin betrachtet. Hättet Ihr
Zu Eurer Erbin mich erklärt, wie mir
Gebührt, so hätten Dankbarkeit und Liebe
Euch eine treue Freundin und Verwandte
In mir erhalten.

Elisabeth.

Draußen, Lady Stuart,
2370 Ist Eure Freundschaft, Euer Haus das Papsttum,
Der Mönch ist Euer Bruder — Euch zur Erbin

Erklären! Der verräterische Fallstrick!
Daß Ihr bei meinem Leben noch mein Volk
Verführtet, eine listige Armida,
2375 Die edle Jugend meines Königreichs
In Eurem Buhlernetze schlau verstricket —
Daß alles sich der neu aufgeh'nden Sonne
Zuwendete, und ich —

Maria.

Regiert in Frieden!
Jedwedem Anspruch auf dies Reich entsag' ich.
2380 Ach, meines Geistes Schwingen sind gelähmt;
Nicht Größe lockt mich mehr — Ihr habt's erreicht,
Ich bin nur noch der Schatten der Maria.
Gebrochen ist in langer Kerkerschmach
Der edle Mut — Ihr habt das Äußerste an mir
2385 Gethan, habt mich zerstört in meiner Blüte!
— Jetzt macht ein Ende, Schwester! Sprecht es aus
Das Wort, um dessentwillen Ihr gekommen,
Denn nimmer will ich glauben, daß Ihr kamt,
Um Euer Opfer grausam zu verhöhnen.
2390 Sprecht dieses Wort aus! Sagt mir: „Ihr seid frei,
Maria! Meine Macht habt Ihr gefühlt,
Jetzt lernet meinen Edelmut verehren!"
Sagt's, und ich will mein Leben, meine Freiheit
Als ein Geschenk aus Eurer Hand empfangen.
2395 — Ein Wort macht alles ungeschehn. Ich warte
Darauf. O, laßt mich's nicht zu lang' erharren!
Weh Euch, wenn Ihr mit diesem Wort nicht endet!
Denn wenn Ihr jetzt nicht segenbringend, herrlich,
Wie eine Gottheit von mir scheidet — Schwester!
2400 Nicht um dies ganze reiche Eiland, nicht

Um alle Länder, die das Meer umfaßt,
Möcht' ich vor Euch so stehn, wie Ihr vor mir!

Elisabeth.

Bekennt Ihr endlich Euch für überwunden?
Ist's aus mit Euren Ränken? Ist kein Mörder
2405 Mehr unterweges? Will kein Abenteurer
Für Euch die traur'ge Ritterschaft mehr wagen?
— Ja, es ist aus, Lady Maria. Ihr verführt
Mir keinen mehr. Die Welt hat andre Sorgen.
Es lüstet keinen, Euer — vierter Mann
2410 Zu werden, denn Ihr tötet Eure Freier,
Wie Eure Männer!

Maria auffahrend.

Schwester! Schwester!
O Gott! Gott! Gieb mir Mäßigung!

Elisabeth
sieht sie lange mit einem Blick stolzer Verachtung an.

Das also sind die Reizungen, Lord Lester,
Die ungestraft kein Mann erblickt, daneben
2415 Kein andres Weib sich wagen darf zu stellen!
Fürwahr! Der Ruhm war wohlfeil zu erlangen,
Es kostet nichts, die allgemeine Schönheit
Zu sein, als die gemeine sein für alle!

Maria.

Das ist zu viel!

Elisabeth höhnisch lachend.

Jetzt zeigt Ihr Euer wahres
2420 Gesicht, bis jetzt war's nur die Larve.

Maria

von Zorn glühend, doch mit einer edlen Würde.

Ich habe menschlich, jugendlich gefehlt,
Die Macht verführte mich, ich hab' es nicht
Verheimlicht und verborgen, falschen Schein
Hab' ich verschmäht mit königlichem Freimut.

2425 Das Ärgste weiß die Welt von mir, und ich
Kann sagen, ich bin besser als mein Ruf.
Weh Euch, wenn sie von Euren Thaten einst
Den Ehrenmantel zieht, womit Ihr gleißend
Die wilde Glut verstohlner Lüste deckt.

2430 Nicht Ehrbarkeit habt Ihr von Eurer Mutter
Geerbt; man weiß, um welcher Tugend willen
Anna von Boulen das Schafott bestiegen.

Shrewsbury

tritt zwischen beide Königinnen.

O Gott des Himmels! Muß es dahin kommen!
Ist das die Mäßigung, die Unterwerfung,
2435 Lady Maria?

Maria.

Mäßigung! Ich habe
Ertragen, was ein Mensch ertragen kann.
Fahr hin, lammherzige Gelassenheit!
Zum Himmel fliehe, leidende Geduld!
Spreng' endlich deine Bande, tritt hervor
2440 Aus deiner Höhle, langverhaltner Groll! —
Und du, der dem gereizten Basilisk
Den Mordblick gab, leg' auf die Zunge mir
Den gift'gen Pfeil —

Shrewsbury.

O, sie ist außer sich!
Verzeih der Rasenden, der schwer Gereizten!

Elisabeth, vor Zorn sprachlos, schießt wütende Blicke auf Marien.

Leicester

in der heftigsten Unruhe, sucht die Elisabeth hinweg zu führen.

Höre
2445 Die Wütende nicht an! Hinweg, hinweg
Von diesem unglücksel'gen Ort!

Maria.

Der Thron von England ist durch einen Bastard
Entweiht, der Britten edelherzig Volk
Durch eine list'ge Gauklerin betrogen.
2450 — Regierte Recht, so läget Ihr vor mir
Im Staube jetzt, denn ich bin Euer König.

Elisabeth geht schnell ab, die Lords folgen ihr in der höchsten Bestürzung.

Fünfter Auftritt.

Maria. Kennedy.

Kennedy.

O, was habt Ihr gethan! Sie geht in Wut!
Jetzt ist es aus, und alle Hoffnung schwindet.

Maria *noch ganz außer sich.*

Sie geht in Wut! Sie trägt den Tod im Herzen!

Der Kennedy um den Hals fallend.

2455 O, wie mir wohl ist, Hanna! Endlich, endlich,
Nach Jahren der Erniedrigung, der Leiden,

Ein Augenblick der Rache, des Triumphs!
Wie Bergeslasten fällt's von meinem Herzen,
Das Messer stieß ich in der Feindin Brust.

Kennedy.

2460 Unglückliche! Der Wahnsinn reißt Euch hin,
Ihr habt die Unversöhnliche verwundet.
Sie führt den Blitz, sie ist die Königin,
Vor ihrem Buhlen habt ihr sie verhöhnt!

Maria.

Vor Lesters Augen hab' ich sie erniedrigt!
2465 Er sah es, er bezeugte meinen Sieg!
Wie ich sie niederschlug von ihrer Höhe,
Er stand dabei, mich stärkte seine Nähe!

Sechster Auftritt.

Mortimer zu den Vorigen.

Kennedy.

O Sir! Welch ein Erfolg —

Mortimer.

Ich hörte alles.

Giebt der Amme ein Zeichen, sich auf ihren Posten zu begeben, und tritt näher.
Sein ganzes Wesen drückt eine heftige, leidenschaftliche Stimmung aus.

Du hast gesiegt! Du tratst sie in den Staub,
2470 Du warst die Königin, sie der Verbrecher.
Ich bin entzückt von deinem Mut, ich bete
Dich an, wie eine Göttin groß und herrlich
Erscheinst du mir in diesem Augenblick.

Maria.

Ihr spracht mit Leſtern, überbrachtet ihm
2475 Mein Schreiben, mein Geſchenk — O redet, Sir!

Mortimer
mit glühenden Blicken ſie betrachtend.

Wie dich der edle königliche Zorn
Umglänzte, deine Reize mir verklärte!
Du biſt das ſchönſte Weib auf dieſer Erde!

Maria.

Ich bitt' Euch, Sir! Stillt meine Ungeduld!
2480 Was ſpricht Mylord? O ſagt, was darf ich hoffen?

Mortimer.

Wer? Er? Das iſt ein Feiger, Elender!
Hofft nichts von ihm, verachtet ihn, vergeßt ihn!

Maria.

Was ſagt Ihr?

Mortimer.

              Er Euch retten und beſitzen!
Er Euch! Er ſoll es wagen! Er! Mit mir
2485 Muß er auf Tod und Leben darum kämpfen!

Maria.

Ihr habt ihm meinen Brief nicht übergeben?
— O, dann iſt's aus!

Mortimer.

              Der Feige liebt das Leben.
Wer dich will retten und die Seine nennen,
Der muß den Tod beherzt umarmen können!

Maria.

2490 Er will nichts für mich thun?

Mortimer.

Nichts mehr von ihm!
Was kann er thun, und was bedarf man sein?
Ich will dich retten, ich allein!

Maria.

Ach, was vermögt Ihr!

Mortimer.

Täuschet Euch nicht mehr,
Als ob es noch wie gestern mit Euch stünde!
2495 So wie die Königin jetzt von Euch ging,
Wie dies Gespräch sich wendete, ist alles
Verloren, jeder Gnadenweg gesperrt.
Der That bedarf's jetzt, Kühnheit muß entscheiden,
Für alles werde alles frisch gewagt,
2500 Frei müßt Ihr sein, noch eh der Morgen tagt!

Maria.

Was sprecht Ihr? Diese Nacht! Wie ist das möglich?

Mortimer.

Hört, was beschlossen ist. Versammelt hab' ich
In heimlicher Kapelle die Gefährten;
Ein Priester hörte unsre Beichte an,
2505 Ablaß ist uns erteilt für alle Schulden,
Die wir begingen, Ablaß im voraus
Für alle, die wir noch begehen werden.
Das letzte Sakrament empfingen wir,
Und fertig sind wir zu der letzten Reise.

Maria.

2510 O welche fürchterliche Vorbereitung!

Mortimer.

Dies Schloß ersteigen wir in dieser Nacht,
Der Schlüssel bin ich mächtig. Wir ermorden
Die Hüter, reißen dich aus deiner Kammer
Gewaltsam, sterben muß von unsrer Hand,
2515 Daß niemand überbleibe, der den Raub
Verraten könne, jede lebende Seele.

Maria.

Und Drury, Paulet, meine Kerkermeister?
O, eher werden sie ihr letztes Blut —

Mortimer.

Von meinem Dolche fallen sie zuerst!

Maria.

2520 Was? Euer Oheim, Euer zweiter Vater?

Mortimer.

Von meinen Händen stirbt er. Ich ermord' ihn.

Maria.

O blut'ger Frevel!

Mortimer.

Alle Frevel sind
Vergeben im voraus. Ich kann das Ärgste
Begehen, und ich will's.

Maria.

O schrecklich, schrecklich!

Mortimer.

2525 Und müßt' ich auch die Königin durchbohren,
Ich hab' es auf die Hostie geschworen.

Maria.

Nein, Mortimer! Eh so viel Blut um mich —

Mortimer.

Was ist mir alles Leben gegen dich
Und meine Liebe!   Mag der Welten Band
2530 Sich lösen, eine zweite Wasserflut
Herwogend alles Atmende verschlingen!
— Ich achte nichts mehr!   Eh ich dir entsage,
Eh nahe sich das Ende aller Tage!

Maria zurücktretend.

Gott! welche Sprache, Sir, und — welche Blicke!
2535 — Sie schrecken, sie verscheuchen mich.

Mortimer
mit irren Blicken und im Ausdruck des stillen Wahnsinns.

Das Leben ist
Nur ein Moment, der Tod ist auch nur einer!
— Man schleife mich nach Tyburn, Glied für Glied
Zerreiße man mit glüh'nder Eisenzange,
Indem er heftig auf sie zugeht, mit ausgebreiteten Armen.
Wenn ich dich, Heißgeliebte, umfange —

Maria zurückweichend.

2540 Unsinniger, zurück! —

Mortimer.

An dieser Brust,
Auf diesem liebeatmenden Munde —

Maria.

Um Gottes willen, Sir!   Laßt mich hineingehn!

Mortimer.

Der ist ein Rasender, der nicht das Glück
Festhält in unauflöslicher Umarmung,
2545 Wenn es ein Gott in seine Hand gegeben.

Ich will dich retten, kost' es tausend Leben;
Ich rette dich, ich will es; doch, so wahr
Gott lebt! ich schwör's, ich will dich auch besitzen.

Maria.

O, will kein Gott, kein Engel mich beschützen!
2550 Furchtbares Schicksal! Grimmig schleuderst du
Von einem Schrecknis mich dem andern zu.
Bin ich geboren, nur die Wut zu wecken?
Verschwört sich Haß und Liebe, mich zu schrecken?

Mortimer.

Ja, glühend, wie sie hassen, lieb' ich dich!
2555 Sie wollen dich enthaupten, diesen Hals,
Den blendend weißen, mit dem Beil durchschneiden.
O, weihe du dem Lebensgott der Freuden,
Was du dem Hasse blutig opfern mußt!
Mit diesen Reizen, die nicht dein mehr sind,
2560 Beselige den glücklichen Geliebten!
Die schöne Locke, dieses seidne Haar,
Verfallen schon den finstern Todesmächten,
Gebrauch's, den Sklaven ewig zu umflechten!

Maria.

O, welche Sprache muß ich hören! Sir!
2565 Mein Unglück sollt' Euch heilig sein, mein Leiden,
Wenn es mein königliches Haupt nicht ist.

Mortimer.

Die Krone ist von deinem Haupt gefallen,
Du hast nichts mehr von ird'scher Majestät;
Versuch' es, laß dein Herrscherwort erschallen,
2570 Ob dir ein Freund, ein Retter aufersteht.
Nichts blieb dir als die rührende Gestalt,

Der hohen Schönheit göttliche Gewalt,
Die läßt mich alles wagen und vermögen,
Die treibt dem Beil des Henkers mich entgegen —

Maria.

2575 O, wer errettet mich von seiner Wut!

Mortimer.

Verwegner Dienst belohnt sich auch verwegen!
Warum verspritzt der Tapfere sein Blut?
Ist Leben doch des Lebens höchstes Gut!
Ein Rasender, der es umsonst verschleudert!
2580 Erst will ich ruhn an seiner wärmsten Brust —

Er preßt sie heftig an sich.

Maria.

O, muß ich Hilfe rufen gegen den Mann,
Der mein Erretter —

Mortimer.

Du bist nicht gefühllos;
Nicht kalter Strenge klagt die Welt dich an,
Dich kann die heiße Liebesbitte rühren,
2585 Du hast den Sänger Rizzio beglückt,
Und jener Bothwell durfte dich entführen.

Maria.

Vermessener!

Mortimer.

Er war nur dein Tyrann!
Du zittertest vor ihm, da du ihn liebtest!
Wenn nur der Schrecken dich gewinnen kann,
2590 Beim Gott der Hölle! —

Maria.

Laßt mich! Raset Ihr?

Mortimer.

Erzittern sollst du auch vor mir!

Kennedy hereinstürzend.

Man naht. Man kommt. Bewaffnet Volk erfüllt
Den ganzen Garten.

Mortimer.

auffahrend und zum Degen greifend.

Ich beschütze dich!

Maria.

O Hanna! rette mich aus seinen Händen!
2595 Wo find' ich Ärmste einen Zufluchtsort?
Zu welchem Heiligen soll ich mich wenden?
Hier ist Gewalt, und drinnen ist der Mord.

Sie flieht dem Hause zu, Kennedy folgt.

Siebenter Auftritt.

Mortimer. Paulet und Drury, welche außer sich herein-
stürzen. Gefolge eilt über die Scene.

Paulet.

Verschließt die Pforten! Zieht die Brücken auf!

Mortimer.

Oheim, was ist's?

Paulet.

Wo ist die Mörderin?
2600 Hinab mit ihr ins finsterste Gefängnis!

Mortimer.

Was giebt's, was ist geschehn?

Paulet.

                                Die Königin!
Verfluchte Hände!   Teuflisches Erkühnen!

Mortimer.

Die Königin! Welche Königin?

Paulet.

                                Von England!
Sie ist ermordet auf der Londner Straßen!
                    Eilt ins Haus.

Achter Auftritt.

Mortimer.   Gleich darauf O'Kelly.

Mortimer.

2605 Bin ich im Wahnwitz?   Kam nicht eben jemand
Vorbei und rief, die Königin sei ermordet?
Nein, nein, mir träumte nur.   Ein Fieberwahn
Bringt mir als wahr und wirklich vor den Sinn,
Was die Gedanken gräßlich mir erfüllt.
2610 Wer kommt?   Es ist O'Kell'.   So schreckenvoll!

O'Kelly *hereinstürzend.*

Flieht, Mortimer!   Flieht!   Alles ist verloren.

Mortimer.

Was ist verloren?

Okelly.

Fragt nicht lange! Denkt
Auf schnelle Flucht!

Mortimer.

Was giebt's denn?

Okelly.

Sauvage führte
Den Streich, der Rasende.

Mortimer.

So ist es wahr?

Okelly.

2615 Wahr, wahr! O, rettet Euch!

Mortimer.

Sie ist ermordet,
Und auf den Thron von England steigt Maria!

Okelly.

Ermordet! Wer sagt das?

Mortimer.

Ihr selbst!

Okelly.

Sie lebt!
Und ich und Ihr, wir alle sind des Todes.

Mortimer.

Sie lebt!

Okelly.

2620 Der Stoß ging fehl, der Mantel fing ihn auf,
Und Shrewsbury entwaffnete den Mörder.

Mortimer.

Sie lebt!

Okelly.

Lebt, um uns alle zu verderben!
Kommt, man umzingelt schon den Park.

Mortimer.

Wer hat

Das Rasende gethan?

Okelly.

Der Barnabit'

2625 Aus Toulon war's, den Ihr in der Kapelle
Tiefsinnig sitzen saht, als uns der Mönch
Das Anathem' ausdeutete, worin
Der Papst die Königin mit dem Fluch belegt.
Das Nächste, Kürzeste wollt' er ergreifen,
2630 Mit einem kecken Streich die Kirche Gottes
Befrein, die Martyrkrone sich erwerben;
Dem Priester nur vertraut er seine That,
Und auf dem Londner Weg ward sie vollbracht.

Mortimer
nach einem langen Stillschweigen.

O, dich verfolgt ein grimmig wütend Schicksal,
2635 Unglückliche! Jetzt — ja, jetzt mußt du sterben,
Dein Engel selbst bereitet deinen Fall.

Okelly.

Sagt, wohin wendet Ihr die Flucht? Ich gehe,
Mich in des Nordens Wäldern zu verbergen.

Mortimer.

Flieht hin, und Gott geleite Eure Flucht!
2640 Ich bleibe. Noch versuch' ich's, sie zu retten,
Wo nicht, auf ihrem Sarge mir zu betten.
Gehen ab zu verschiedenen Seiten.

Vierter Aufzug.

Vorzimmer.

Erster Auftritt.

Graf Aubespine. Kent und Leicester.

Aubespine.

Wie steht's um Ihro Majestät? Mylords,
Ihr seht mich noch ganz außer mir vor Schrecken.
Wie ging das zu? Wie konnte das in Mitte
2645 Des allertreusten Volks geschehen?

Leicester.

           Es geschah
Durch keinen aus dem Volke. Der es that,
War Eures Königs Unterthan, ein Franke.

Aubespine.

Ein Rasender gewißlich.

Kent.

      Ein Papist,
Graf Aubespine!

Zweiter Auftritt.

Vorige. Burleigh im Gespräch mit Davison.

Burleigh.

Sogleich muß der Befehl
2650 Zur Hinrichtung verfaßt und mit dem Siegel
Versehen werden — Wenn er ausgefertigt,
Wird er der Königin zur Unterschrift
Gebracht. Geht! Keine Zeit ist zu verlieren.

Davison.

Es soll geschehn.

Geht ab.

Aubespine Burleigh entgegen.

Mylord, mein treues Herz
2655 Teilt die gerechte Freude dieser Insel.
Lob sei dem Himmel, der den Mörderstreich
Gewehrt von diesem königlichen Haupt!

Burleigh.

Er sei gelobt, der unsrer Feinde Bosheit
Zu Schanden machte!

Aubespine.

Mög' ihn Gott verdammen,
2660 Den Thäter dieser fluchenswerten That!

Burleigh.

Den Thäter und den schändlichen Erfinder.

Aubespine zu Kent.

Gefällt es Eurer Herrlichkeit, Lordmarschall
Bei Ihro Majestät mich einzuführen,

Daß ich den Glückwunsch meines Herrn und Königs
2665 Zu ihren Füßen schuldigst niederlege —

Burleigh.
Bemüht Euch nicht, Graf Aubespine.

Aubespine offiziös.
                                        Ich weiß,
Lord Burleigh, was mir obliegt.

Burleigh.
                        Euch liegt ob,
Die Insel auf das schleunigste zu räumen.

Aubespine tritt erstaunt zurück.
Was! Wie ist das!

Burleigh.
                Der heilige Charakter
2670 Beschützt Euch heute noch, und morgen nicht mehr.

Aubespine.
Und was ist mein Verbrechen?

Burleigh.
                        Wenn ich es
Genannt, so ist es nicht mehr zu vergeben.

Aubespine.
Ich hoffe, Lord, das Recht der Abgesandten —

Burleigh.
Schützt — Reichsverräter nicht.

Leicester und Kent.
                        Ha! Was ist das!

Aubespine.
                                Mylord,
2675 Bedenkt Ihr wohl —

Burleigh.

Ein Paß, von Eurer Hand
Geschrieben, fand sich in des Mörders Tasche.

Kent.

Ist's möglich?

Aubespine.

Viele Pässe teil' ich aus,
Ich kann der Menschen Innres nicht erforschen.

Burleigh.

In Eurem Hause beichtete der Mörder.

Aubespine.

2680 Mein Haus ist offen.

Burleigh.

Jedem Feinde Englands.

Aubespine.

Ich fordre Untersuchung.

Burleigh.

Fürchtet sie!

Aubespine.

In meinem Haupt ist mein Monarch verletzt;
Zerreißen wird er das geschloss'ne Bündnis.

Burleigh.

Zerrissen schon hat es die Königin;
2685 England wird sich mit Frankreich nicht vermählen.
Mylord von Kent! Ihr übernehmet es,
Den Grafen sicher an das Meer zu bringen.
Das aufgebrachte Volk hat sein Hotel
Gestürmt, wo sich ein ganzes Arsenal
2690 Von Waffen fand; es droht ihn zu zerreißen,

Wie er sich zeigt; verberget ihn, bis sich
Die Wut gelegt — Ihr haftet für sein Leben!

Aubespine.

Ich gehe, ich verlasse dieses Land,
Wo man der Völker Recht mit Füßen tritt
2695 Und mit Verträgen spielt — doch mein Monarch
Wird blut'ge Rechenschaft —

Burleigh.

Er hole sie!

Kent und Aubespine gehen ab.

Dritter Auftritt.

Leicester und Burleigh.

Leicester.

So löst Ihr selbst das Bündnis wieder auf,
Das Ihr geschäftig unberufen knüpftet.
Ihr habt um England wenig Dank verdient,
2700 Mylord, die Mühe konntet Ihr Euch sparen.

Burleigh.

Mein Zweck war gut. Gott leitete es anders.
Wohl dem, der sich nichts Schlimmeres bewußt ist!

Leicester.

Man kennt Cecils geheimnisreiche Miene,
Wenn er die Jagd auf Staatsverbrechen macht.
2705 — Jetzt, Lord, ist eine gute Zeit für Euch.
Ein ungeheurer Frevel ist geschehn,

Und noch umhüllt Geheimnis seine Thäter.
Jetzt wird ein Inquisitionsgericht
Eröffnet.   Wort und Blicke werden abgewogen,
2710 Gedanken selber vor Gericht gestellt.
Da seid Ihr der allwicht'ge Mann, der Atlas
Des Staats; ganz England liegt auf Euren Schultern.

Burleigh.

In Euch, Mylord, erkenn' ich meinen Meister,
Denn solchen Sieg, als Eure Redekunst
2715 Erfocht, hat meine nie davongetragen.

Leicester.

Was meint Ihr damit, Lord?

Burleigh.

Ihr wart es doch, der hinter meinem Rücken
Die Königin nach Fotheringhayschloß
Zu locken wußte?

Leicester.

                Hinter Eurem Rücken!
2720 Wann scheuten meine Thaten Eure Stirn?

Burleigh.

Die Königin hättet Ihr nach Fotheringhay
Geführt?   Nicht doch!   Ihr habt die Königin
Nicht hingeführt! — Die Königin war es,
Die so gefällig war, Euch hinzuführen.

Leicester.

2725 Was wollt Ihr damit sagen, Lord?

Burleigh.

                        Die edle
Person, die Ihr die Königin dort spielen ließt!

Der herrliche Triumph, den Ihr der arglos
Vertrauenden bereitet! — Güt'ge Fürstin!
So schamlos frech verspottete man dich,
2730 So schonungslos wardst du dahingegeben!
— Das also ist die Großmut und die Milde,
Die Euch im Staatsrat plötzlich angewandelt!
Darum ist diese Stuart ein so schwacher,
Verachtungswerter Feind, daß es der Müh
2735 Nicht lohnt, mit ihrem Blut sich zu beflecken!
Ein feiner Plan! Fein zugespitzt! Nur schade,
Zu fein geschärfet, daß die Spitze brach!

Leicester.

Nichtswürdiger! Gleich folgt mir! An dem Throne
Der Königin sollt Ihr mir Rede stehn.

Burleigh.

2740 Dort trefft Ihr mich — Und sehet zu, Mylord,
Daß Euch dort die Beredsamkeit nicht fehle.

Geht ab.

Vierter Auftritt.

Leicester allein, darauf Mortimer.

Leicester.

Ich bin entdeckt, ich bin durchschaut — Wie kam
Der Unglückselige auf meine Spuren!
Weh mir, wenn er Beweise hat! Erfährt
2745 Die Königin, daß zwischen mir und der Maria

Verständnisse gewesen — Gott! Wie schuldig
Steh' ich vor ihr! Wie hinterlistig treulos
Erscheint mein Rat, mein unglückseliges
Bemühn, nach Fotheringhay sie zu führen!
2750 Grausam verspottet sieht sie sich von mir,
An die verhaßte Feindin sich verraten!
O, nimmer, nimmer kann sie das verzeihn!
Vorherbedacht wird alles nun erscheinen,
Auch diese bittre Wendung des Gesprächs,
2755 Der Gegnerin Triumph und Hohngelächter,
Ja, selbst die Mörderhand, die blutig, schrecklich,
Ein unerwartet ungeheures Schicksal,
Dazwischen kam, werd' ich bewaffnet haben!
Nicht Rettung seh' ich, nirgends! Ha! Wer kommt?

Mortimer

kommt in der heftigsten Unruhe und blickt scheu umher.

2760 Graf Lester! Seid Ihr's? Sind wir ohne Zeugen?

Leicester.

Unglücklicher, hinweg! Was sucht Ihr hier?

Mortimer.

Man ist auf unsrer Spur, auf Eurer auch;
Nehmt Euch in acht!

Leicester.

　　　　　　Hinweg, hinweg!

Mortimer.

　　　　　　　　　　　Man weiß,
Daß bei dem Grafen Aubespine geheime
2765 Versammlung war —

Leicester.

　　　　Was kümmert's mich!

Mortimer.

Daß sich der Mörder

Dabei befunden —

Leicester.

Das ist Eure Sache!

Verwegener! Was unterfangt Ihr Euch,
In Euren blut'gen Frevel mich zu flechten?
Verteidigt Eure bösen Händel selbst!

Mortimer.

2770 So hört mich doch nur an!

Leicester in heftigem Zorn.

Geht in die Hölle!

Was hängt Ihr Euch, gleich einem bösen Geist,
An meine Fersen! Fort! Ich kenn' Euch nicht,
Ich habe nichts gemein mit Meuchelmördern.

Mortimer.

Ihr wollt nicht hören. Euch zu warnen komm' ich;
2775 Auch Eure Schritte sind verraten —

Leicester.

Ha!

Mortimer.

Der Großschatzmeister war zu Fotheringhay,
Sogleich nachdem die Unglücksthat geschehn war,
Der Königin Zimmer wurde streng durchsucht,
Da fand sich —

Leicester.

Was?

Mortimer.

Ein angefangner Brief

2780 Der Königin an Euch —

Leicester.

Die Unglückſel'ge!

Mortimer.

Worin ſie Euch aufforbert, Wort zu halten,
Euch das Verſprechen ihrer Hand erneuert,
Des Bildniſſes gebenkt —

Leicester.

Tob und Verdammnis!

Mortimer.

Lord Burleigh hat den Brief.

Leicester.

Ich bin verloren!

Er geht während der folgenden Rede Mortimers verzweiflungsvoll auf und
nieder.

Mortimer.

2785 Ergreift den Augenblick! Kommt ihm zuvor!
Errettet Euch, errettet ſie — Schwört Euch
Heraus, erſinnt Entſchulbigungen, wendet
Das Ärgſte ab! Ich ſelbſt kann nichts mehr thun.
Zerſtreut ſind die Gefährten, auseinander
2790 Geſprengt iſt unſer ganzer Bund. Ich eile
Nach Schottland, neue Freunde bort zu ſammeln.
An Euch iſt's jetzt; verſucht, was Euer Anſehn,
Was eine kecke Stirn vermag!

Leicester

ſteht ſtill, plötzlich beſonnen.

Das will ich.

Er geht nach der Thüre, öffnet ſie und ruft:

He da! Trabanten!

Zu dem Offizier, der mit Bewaffneten hereintritt.

Diesen Staatsverräter

2795 Nehmt in Verwahrung und bewacht ihn wohl!
Die schändlichste Verschwörung ist entdeckt;
Ich bringe selbst der Königin die Botschaft.

Er geht ab.

Mortimer

steht anfangs starr vor Erstaunen, faßt sich aber bald und sieht Leicestern
mit einem Blick der tiefsten Verachtung nach.

Ha, Schändlicher! — Doch ich verdiene das.
Wer hieß mich auch dem Elenden vertrauen?
2800 Weg über meinen Nacken schreitet er;
Mein Fall muß ihm die Rettungsbrücke bauen.
— So rette dich! Verschlossen bleibt mein Mund,
Ich will dich nicht in mein Verderben flechten.
Auch nicht im Tode mag ich deinen Bund;
2805 Das Leben ist das einz'ge Gut des Schlechten.

Zu dem Offizier der Wache, der hervortritt, um ihn gefangen zu nehmen.

Was willst du, feiler Sklav' der Tyrannei?
Ich spotte deiner, ich bin frei!

Einen Dolch ziehend.

Offizier.

Er ist bewehrt — Entreißt ihm seinen Dolch!

Sie dringen auf ihn ein, er erwehrt sich ihrer.

Mortimer.

Und frei im letzten Augenblicke soll
2810 Mein Herz sich öffnen, meine Zunge lösen!
Fluch und Verderben Euch, die ihren Gott
Und ihre wahre Königin verraten!
Die von der irdischen Maria sich

Treulos wie von der himmlischen gewendet,
2815 Sich dieser Bastardkönigin verkauft —

Offizier.

Hört Ihr die Lästrung! Auf! Ergreifet ihn!

Mortimer.

Geliebte! Nicht erretten konnt' ich dich,
So will ich dir ein männlich Beispiel geben.
Maria, heil'ge, bitt' für mich!
2820 Und nimm mich zu dir in dein himmlisch Leben!

Er durchsticht sich mit dem Dolch und fällt der Wache in die Arme.

Fünfter Auftritt.

Zimmer der Königin.

Elisabeth, einen Brief in der Hand. Burleigh.

Elisabeth.

Mich hinzuführen! Solchen Spott mit mir
Zu treiben! Der Verräter! Im Triumph
Vor seiner Buhlerin mich aufzuführen!
O, so ward noch kein Weib betrogen, Burleigh!

Burleigh.

2825 Ich kann es noch nicht fassen, wie es ihm,
Durch welche Macht, durch welche Zauberkünste
Gelang, die Klugheit meiner Königin
So sehr zu überraschen.

Elisabeth.

              O, ich sterbe
Vor Scham! Wie mußt' er meiner Schwäche spotten!
2830 Sie glaubt' ich zu erniedrigen und war,
Ich selber, ihres Spottes Ziel!

Burleigh.

Du siehst nun ein, wie treu ich dir geraten!

Elisabeth.

O, ich bin schwer dafür gestraft, daß ich
Von Eurem weisen Rate mich entfernt!
2835 Und sollt' ich ihm nicht glauben? In den Schwüren
Der treusten Liebe einen Fallstrick fürchten?
Wem darf ich traun, wenn er mich hinterging?
Er, den ich groß gemacht vor allen Großen,
Der mir der Nächste stets am Herzen war,
2840 Dem ich verstattete, an diesem Hof
Sich wie der Herr, der König zu betragen!

Burleigh.

Und zu derselben Zeit verriet er dich
An diese falsche Königin von Schottland!

Elisabeth.

O, sie bezahle mir's mit ihrem Blut!
2845 — Sagt! Ist das Urteil abgefaßt?

Burleigh.

                      Es liegt
Bereit, wie du befohlen.

Elisabeth.

                Sterben soll sie!
Er soll sie fallen sehn, und nach ihr fallen.

Verstoßen hab' ich ihn aus meinem Herzen,
Fort ist die Liebe, Rache füllt es ganz.
2850 So hoch er stand, so tief und schmählich sei
Sein Sturz! Er sei ein Denkmal meiner Strenge,
Wie er ein Beispiel meiner Schwäche war.
Man führ' ihn nach dem Tower; ich werde Peers
Ernennen, die ihn richten. Hingegeben
2855 Sei er der ganzen Strenge des Gesetzes.

Burleigh.

Er wird sich zu dir drängen, sich rechtfert'gen —

Elisabeth.

Wie kann er sich rechtfert'gen? Überführt
Ihn nicht der Brief? O, sein Verbrechen ist
Klar wie der Tag!

Burleigh.

                  Doch du bist mild und gnädig;
2860 Sein Anblick, seine mächt'ge Gegenwart —

Elisabeth.

Ich will ihn nicht sehn. Niemals, niemals wieder!
Habt Ihr Befehl gegeben, daß man ihn
Zurückweist, wenn er kommt?

Burleigh.

                          So ist's befohlen!

Page tritt ein.

Mylord von Lester!

Königin.

        Der Abscheuliche!
2865 Ich will ihn nicht sehn. Sagt ihm, daß ich ihn
Nicht sehen will.

Page.

Das wag' ich nicht dem Lord
Zu sagen, und er würde mir's nicht glauben.

Königin.

So hab' ich ihn erhöht, daß meine Diener
Vor seinem Ansehn mehr als meinem zittern!

Burleigh zum Pagen.

2870 Die Königin verbiet' ihm, sich zu nahn!

Page geht zögernd ab.

Königin nach einer Pause.

Wenn's dennoch möglich wäre — Wenn er sich
Rechtfert'gen könnte! — Sagt mir, könnt' es nicht
Ein Fallstrick sein, den mir Maria legte,
Mich mit dem treusten Freunde zu entzwei'n?
2875 O, sie ist eine abgefeimte Bübin.
Wenn sie den Brief nur schrieb, mir gift'gen Argwohn
Ins Herz zu streun, ihn, den sie haßt, ins Unglück
Zu stürzen —

Burleigh.

Aber, Königin, erwäge —

Sechster Auftritt.

Vorige. Leicester.

Leicester
reißt die Thür mit Gewalt auf und tritt mit gebieterischem Wesen herein.

Den Unverschämten will ich sehn, der mir
2880 Das Zimmer meiner Königin verbietet.

Elisabeth.

Ha, der Verwegene!

Leicester.

      Mich abzuweisen!
Wenn sie für einen Burleigh sichtbar ist,
So ist sie's auch für mich!

Burleigh.

          Ihr seid sehr kühn, Mylord,
Hier wider die Erlaubnis einzustürmen.

Leicester.

2885 Ihr seid sehr frech, Lord, hier das Wort zu nehmen.
Erlaubnis? Was? Es ist an diesem Hofe
Niemand, durch dessen Mund Graf Lester sich
Erlauben und verbieten lassen kann!

Indem er sich der Elisabeth demütig nähert.

Aus meiner Königin eignem Mund will ich —

Elisabeth *ohne ihn anzusehen.*

2890 Aus meinem Angesicht, Nichtswürdiger!

Leicester.

Nicht meine gütige Elisabeth,
Den Lord vernehm' ich, meinen Feind, in diesen
Unholden Worten — Ich berufe mich auf meine
Elisabeth — Du liehest ihm dein Ohr;
2895 Das Gleiche fordr' ich.

Elisabeth.

          Redet, Schändlicher!
Vergrößert Euren Frevel! Leugnet ihn!

Leicester.

Laßt diesen Überlästigen sich erst
Entfernen — Tretet ab, Mylord — Was ich
Mit meiner Königin zu verhandeln habe,
2900 Braucht keinen Zeugen. Geht!

Elisabeth zu Burleigh.

　　　　　　　　Bleibt! Ich befehl' es!

Leicester.

Was soll der dritte zwischen dir und mir!
Mit meiner angebeteten Monarchin
Hab' ich's zu thun — Die Rechte meines Platzes
Behaupt' ich — Es sind heil'ge Rechte!
2905 Und ich bestehe drauf, daß sich der Lord
Entferne!

Elisabeth.

　　　　Euch geziemt die stolze Sprache!

Leicester.

Wohl ziemt sie mir, denn ich bin der Beglückte,
Dem deine Gunst den hohen Vorzug gab;
Das hebt mich über ihn und über alle!
2910 Dein Herz verlieh mir diesen stolzen Rang,
Und was die Liebe gab, werd' ich, bei Gott!
Mit meinem Leben zu behaupten wissen.
Er geh' — und zweier Augenblicke nur
Bedarf's, mich mit dir zu verständigen.

Elisabeth.

2915 Ihr hofft umsonst, mich listig zu beschwatzen.

Leicester.

Beschwatzen konnte dich der Plauderer;
Ich aber will zu deinem Herzen reden,
Und was ich im Vertraun auf deine Gunst
Gewagt, will ich auch nur vor deinem Herzen
2920 Rechtfertigen — Kein anderes Gericht
Erkenn' ich über mir, als deine Neigung!

Elisabeth.

Schamloser! Eben diese ist's, die Euch zuerst
Verdammt — Zeigt ihm den Brief, Mylord!

Burleigh.

Hier ist er!

Leicester

durchläuft den Brief, ohne die Fassung zu verändern.

Das ist der Stuart Hand!

Elisabeth.

Lest und verstummt!

Leicester

nachdem er gelesen, ruhig.

2925 Der Schein ist gegen mich; doch darf ich hoffen,
Daß ich nicht nach dem Schein gerichtet werde!

Elisabeth.

Könnt Ihr es leugnen, daß Ihr mit der Stuart
In heimlichem Verständnis wart, ihr Bildnis
Empfingt, ihr zur Befreiung Hoffnung machtet?

Leicester.

2930 Leicht wäre mir's, wenn ich mich schuldig fühlte,
Das Zeugnis einer Feindin zu verwerfen!
Doch frei ist mein Gewissen; ich bekenne,
Daß sie die Wahrheit schreibt!

Elisabeth.

Nun denn,

Unglücklicher!

Burleigh.

Sein eigner Mund verdammt ihn.

Elisabeth.

2935 Aus meinen Augen! In den Tower — Verräter!

Leicester.

Der bin ich nicht. Ich hab' gefehlt, daß ich
Aus diesem Schritt dir ein Geheimnis machte;
Doch redlich war die Absicht, es geschah,
Die Feindin zu erforschen, zu verderben.

Elisabeth.

2940 Elende Ausflucht! —

Burleigh.

      Wie, Mylord? Ihr glaubt —

Leicester.

Ich habe ein gewagtes Spiel gespielt,
Ich weiß, und nur Graf Lester durfte sich
An diesem Hofe solcher That erkühnen.
Wie ich die Stuart hasse, weiß die Welt.
2945 Der Rang, den ich bekleide, das Vertrauen,
Wodurch die Königin mich ehrt, muß jeden Zweifel
In meine treue Meinung niederschlagen.
Wohl darf der Mann, den deine Gunst vor allen
Auszeichnet, einen eignen kühnen Weg
2950 Einschlagen, seine Pflicht zu thun.

Burleigh.

          Warum,
Wenn's eine gute Sache war, verschwiegt Ihr?

Leicester.

Mylord! Ihr pflegt zu schwatzen, eh Ihr handelt,
Und seid die Glocke Eurer Thaten. Das
Ist Eure Weise, Lord. Die meine ist,
2955 Erst handeln und dann reden!

Burleigh.

Ihr redet jetzo, weil Ihr müßt.

Leicester

ihn stolz und höhnisch mit den Augen messend.

Und Ihr

Berühmt Euch, eine wundergroße That
Ins Werk gerichtet, Eure Königin
Gerettet, die Verräterei entlarvt
2960 Zu haben — Alles wißt Ihr, Eurem Scharfblick
Kann nichts entgehen, meint Ihr — Armer Prahler!
Trotz Eurer Spürkunst war Maria Stuart
Noch heute frei, wenn ich es nicht verhindert.

Burleigh.

Ihr hättet —

Leicester.

Ich, Mylord. Die Königin
2965 Vertraute sich dem Mortimer, sie schloß
Ihr Innerstes ihm auf, sie ging so weit,
Ihm einen blut'gen Auftrag gegen die Maria
Zu geben, da der Oheim sich mit Abscheu
Von einem gleichen Antrag abgewendet —
2970 Sagt! Ist es nicht so?

Königin und Burleigh sehen einander betroffen an.

Burleigh.

Wie gelangtet Ihr

Dazu? —

Leicester.

Ist's nicht so? — Nun, Mylord! Wo hattet
Ihr Eure tausend Augen, nicht zu sehn,
Daß dieser Mortimer Euch hinterging?
Daß er ein wütender Papist, ein Werkzeug
2975 Der Guisen, ein Geschöpf der Stuart war,
Ein keck entschloss'ner Schwärmer, der gekommen,

Die Stuart zu befrein, die Königin
Zu morden —

Elisabeth
mit dem äußersten Erstaunen.
Dieser Mortimer!

Leicester.

Er war's, durch den
Maria Unterhandlung mit mir pflog,
2980 Den ich auf diesem Wege kennen lernte.
Noch heute sollte sie aus ihrem Kerker
Gerissen werden; diesen Augenblick
Entdeckte mir's sein eigner Mund; ich ließ ihn
Gefangen nehmen, und in der Verzweiflung,
2985 Sein Werk vereitelt, sich entlarvt zu sehn,
Gab er sich selbst den Tod!

Elisabeth.

O, ich bin unerhört
Betrogen — Dieser Mortimer!

Burleigh.

Und jetzt
Geschah das? Jetzt, nachdem ich Euch verlassen!

Leicester.

Ich muß um meinetwillen sehr beklagen,
2990 Daß es dies Ende mit ihm nahm. Sein Zeugnis,
Wenn er noch lebte, würde mich vollkommen
Gereinigt, aller Schuld entledigt haben.
Drum übergab ich ihn des Richters Hand.
Die strengste Rechtsform sollte meine Unschuld
2995 Vor aller Welt bewähren und besiegeln.

Burleigh.

Er tötete sich, sagt Ihr. Er sich selber? Oder
Ihr ihn?

Leicester.

Unwürdiger Verdacht! Man höre
Die Wache ab, der ich ihn übergab!

Er geht an die Thür und ruft hinaus. Der Offizier der Leibwache
tritt herein.

Erstattet Ihrer Majestät Bericht,
3000 Wie dieser Mortimer umkam!

Offizier.

Ich hielt die Wache
Im Vorsaal, als Mylord die Thüre schnell
Eröffnete und mir befahl, den Ritter
Als einen Staatsverräter zu verhaften.
Wir sahen ihn hierauf in Wut geraten,
3005 Den Dolch ziehn, unter heftiger Verwünschung
Der Königin, und eh wir's hindern konnten,
Ihn in die Brust sich stoßen, daß er tot
Zu Boden stürzte —

Leicester.

Es ist gut. Ihr könnt
Abtreten, Sir! Die Königin weiß genug!

Offizier geht ab.

Elisabeth.

3010 O, welcher Abgrund von Abscheulichkeiten!

Leicester.

Wer war's nun, der dich rettete? War es
Mylord von Burleigh? Wußt' er die Gefahr,
Die dich umgab? War er's, der sie von dir
Gewandt? — Dein treuer Lester war dein Engel!

Burleigh.

3015 Graf! Dieser Mortimer starb Euch sehr gelegen.

Elisabeth.

Ich weiß nicht, was ich sagen soll. Ich glaub' Euch,
Und glaub' Euch nicht. Ich denke, Ihr seid schuldig
Und seid es nicht! O die Verhaßte, die
Mir all dies Weh bereitet!

Leicester.

              Sie muß sterben.
3020 Jetzt stimm' ich selbst für ihren Tod. Ich riet
Dir an, das Urteil unvollstreckt zu lassen,
Bis sich aufs neu ein Arm für sie erhübe.
Dies ist geschehn — und ich bestehe drauf,
Daß man das Urteil ungesäumt vollstrecke.

Burleigh.

3025 Ihr rietet dazu! Ihr!

Leicester.

                So sehr es mich
Empört, zu einem Äußersten zu greifen,
Ich sehe nun und glaube, daß die Wohlfahrt
Der Königin dies blut'ge Opfer heischt;
Drum trag' ich darauf an, daß der Befehl
3030 Zur Hinrichtung gleich ausgefertigt werde!

Burleigh zur Königin.

Da es Mylord so treu und ernstlich meint,
So trag' ich darauf an, daß die Vollstreckung
Des Richterspruchs ihm übertragen werde.

Leicester.

Mir!

Burleigh.

Euch. Nicht besser könnt Ihr den Verdacht,
3035 Der jetzt noch auf Euch lastet, widerlegen,
Als wenn Ihr sie, die Ihr geliebt zu haben
Beschuldigt werdet, selbst enthaupten lasset.

Elisabeth
Leicestern mit den Augen fixierend.

Mylord rät gut. So sei's, und dabei bleib' es.

Leicester.

Mich sollte billig meines Ranges Höh'
3040 Von einem Auftrag dieses traur'gen Inhalts
Befrein, der sich in jedem Sinne besser
Für einen Burleigh ziemen mag als mich.
Wer seiner Königin so nahe steht,
Der sollte nichts Unglückliches vollbringen.
3045 Jedoch um meinen Eifer zu bewähren,
Um meiner Königin genug zu thun,
Begeb' ich mich des Vorrechts meiner Würde
Und übernehme die verhaßte Pflicht.

Elisabeth.

Lord Burleigh teile sie mit Euch!

Zu diesem.

Tragt Sorge,
3050 Daß der Befehl gleich ausgefertigt werde!

Burleigh geht. Man hört draußen ein Getümmel.

Siebenter Auftritt.

Graf von Kent zu den Vorigen.

Elisabeth.

Was giebt's, Mylord von Kent? Was für ein Auflauf
Erregt die Stadt — Was ist es?

Kent.

Königin,
Es ist das Volk, das den Palast umlagert;
Es fordert heftig dringend, dich zu sehn.

Elisabeth.

3055 Was will mein Volk?

Kent.

Der Schrecken geht durch London,
Dein Leben sei bedroht, es gehen Mörder
Umher, vom Papste wider dich gesendet.
Verschworen seien die Katholischen,
Die Stuart aus dem Kerker mit Gewalt
3060 Zu reißen und zur Königin auszurufen.
Der Pöbel glaubt's und wütet. Nur das Haupt
Der Stuart, das noch heute fällt, kann ihn
Beruhigen.

Elisabeth.

Wie? Soll mir Zwang geschehn?

Kent.

Sie sind entschlossen, eher nicht zu weichen,
3065 Bis du das Urteil unterzeichnet hast.

Achter Auftritt.

Burleigh und Davison mit einer Schrift. Die Vorigen.

Elisabeth.
Was bringt Ihr, Davison?

Davison nähert sich, ernsthaft.

              Du hast befohlen,
O Königin —

Elisabeth.
       Was ist's?

Indem sie die Schrift ergreifen will, schauert sie zusammen und fährt zurück.

           O Gott!

Burleigh.
              Gehorche
Der Stimme des Volks, sie ist die Stimme Gottes.

Elisabeth
unentschlossen mit sich selbst kämpfend.

O meine Lords! Wer sagt mir, ob ich wirklich
3070 Die Stimme meines ganzen Volks, die Stimme
Der Welt vernehme! Ach, wie sehr befürcht' ich,
Wenn ich dem Wunsch der Menge nun gehorcht,
Daß eine ganz verschiedne Stimme sich
Wird hören lassen — ja, daß eben die,
3075 Die jetzt gewaltsam zu der That mich treiben,
Mich, wenn's vollbracht ist, strenge tadeln werden!

Neunter Auftritt.

Graf Shrewsbury zu den Vorigen.

Shrewsbury
kommt in großer Bewegung.

Man will dich übereilen, Königin!
O, halte fest, sei standhaft!

Indem er Davison mit der Schrift gewahr wird.

     Oder ist es
Geschehen? Ist es wirklich? Ich erblicke
3080 Ein unglückselig Blatt in dieser Hand.
Das komme meiner Königin jetzt nicht
Vor Augen.

Elisabeth.
   Edler Shrewsbury! Man zwingt mich.

Shrewsbury.
Wer kann dich zwingen? Du bist Herrscherin,
Hier gilt es, deine Majestät zu zeigen!
3085 Gebiete Schweigen jenen rohen Stimmen,
Die sich erdreisten, deinem Königswillen
Zwang anzuthun, dein Urteil zu regieren.
Die Furcht, ein blinder Wahn bewegt das Volk,
Du selbst bist außer dir, bist schwer gereizt,
3090 Du bist ein Mensch, und jetzt kannst du nicht richten.

Burleigh.
Gerichtet ist schon längst. Hier ist kein Urteil
Zu fällen, zu vollziehen ist's.

Kent.

der sich bei Shrewsburys Eintritt entfernt hat, kommt zurück.

Der Auflauf wächst, das Volk ist länger nicht
Zu bändigen.

Elisabeth zu Shrewsbury.

Ihr seht, wie sie mich drängen!

Shrewsbury.

3095 Nur Aufschub fordr' ich.   Dieser Federzug
Entscheidet deines Lebens Glück und Frieden.
Du hast es Jahre lang bedacht, soll dich
Der Augenblick im Sturme mit sich führen?
Nur kurzen Aufschub!   Sammle dein Gemüt,
3100 Erwarte eine ruhigere Stunde!

Burleigh heftig.

Erwarte, zögre, säume, bis das Reich
In Flammen steht, bis es der Feindin endlich
Gelingt, den Mordstreich wirklich zu vollführen.
Dreimal hat ihn ein Gott von dir entfernt.
3105 Heut hat er nahe dich berührt; noch einmal
Ein Wunder hoffen, hieße Gott versuchen.

Shrewsbury.

Der Gott, der dich durch seine Wunderhand
Viermal erhielt, der heut dem schwachen Arm
Des Greisen Kraft gab, einen Wütenden
3110 Zu überwält'gen — er verdient Vertrauen!
Ich will die Stimme der Gerechtigkeit
Jetzt nicht erheben, jetzt ist nicht die Zeit,
Du kannst in diesem Sturme sie nicht hören.
Dies eine nur vernimm!   Du zitterst jetzt

3115 Vor dieser lebenden Maria. Nicht
Die Lebende hast du zu fürchten. Zittre vor
Der Toten, der Enthaupteten! Sie wird
Vom Grab' erstehen, eine Zwietrachtsgöttin,
Ein Rachegeist in deinem Reich herumgehn,
3120 Und deines Volkes Herzen von dir wenden.
Jetzt haßt der Britte die Gefürchtete,
Er wird sie rächen, wenn sie nicht mehr ist.
Nicht mehr die Feindin seines Glaubens, nur
Die Enkeltochter seiner Könige,
3125 Des Hasses Opfer und der Eifersucht
Wird er in der Bejammerten erblicken!
Schnell wirst du die Veränderung erfahren.
Durchziehe London, wenn die blut'ge That
Geschehen, zeige dich dem Volk, das sonst
3130 Sich jubelnd um dich her ergoß, du wirst
Ein andres England sehn, ein andres Volk,
Denn dich umgiebt nicht mehr die herrliche
Gerechtigkeit, die alle Herzen dir
Besiegte! Furcht, die schreckliche Begleitung
3135 Der Tyrannei, wird schaudernd vor dir herziehn,
Und jede Straße, wo du gehst, veröden.
Du hast das Letzte, Äußerste gethan,
Welch Haupt steht fest, wenn dieses heil'ge fiel!

Elisabeth.

Ach, Shrewsbury! Ihr habt mir heut das Leben
3140 Gerettet, habt des Mörders Dolch von mir
Gewendet — Warum ließet Ihr ihm nicht
Den Lauf? So wäre jeder Streit geendigt,
Und alles Zweifels ledig, rein von Schuld,
Läg' ich in meiner stillen Gruft! Fürwahr!

3145 Ich bin des Lebens und des Herrschens müd'.
Muß eine von uns Königinnen fallen,
Damit die andre lebe — und es ist
Nicht anders, das erkenn' ich — kann denn ich
Nicht die sein, welche weicht? Mein Volk mag wählen,
3150 Ich geb' ihm seine Majestät zurück.
Gott ist mein Zeuge, daß ich nicht für mich,
Nur für das Beste meines Volks gelebt.
Hofft es von dieser schmeichlerischen Stuart,
Der jüngern Königin, glücklichere Tage,
3155 So steig' ich gern von diesem Thron, und kehre
In Woodstocks stille Einsamkeit zurück,
Wo meine anspruchlose Jugend lebte,
Wo ich, vom Tand der Erdengröße fern,
Die Hoheit in mir selber fand — Bin ich
3260 Zur Herrscherin doch nicht gemacht! Der Herrscher
Muß hart sein können, und mein Herz ist weich.
Ich habe diese Insel lange glücklich
Regiert, weil ich nur brauchte zu beglücken.
Es kommt die erste schwere Königspflicht,
3165 Und ich empfinde meine Ohnmacht —

Burleigh.
                              Nun bei Gott!
Wenn ich so ganz unkönigliche Worte
Aus meiner Königin Mund vernehmen muß,
So wär's Verrat an meiner Pflicht, Verrat
Am Vaterlande, länger still zu schweigen.
3170 — Du sagst, du liebst dein Volk, mehr als dich selbst,
Das zeige jetzt! Erwähle nicht den Frieden
Für dich und überlaß das Reich den Stürmen.
— Denk' an die Kirche! Soll mit dieser Stuart

Der alte Aberglaube wiederkehren?
3175 Der Mönch aufs neu' hier herrschen, der Legat
Aus Rom gezogen kommen, unsre Kirchen
Verschließen, unsre Könige entthronen?
— Die Seelen aller deiner Unterthanen,
Ich fordre sie von dir — Wie du jetzt handelst,
3180 Sind sie gerettet oder sind verloren.
Hier ist nicht Zeit zu weichlichem Erbarmen,
Des Volkes Wohlfahrt ist die höchste Pflicht;
Hat Shrewsbury das Leben dir gerettet,
So will ich England retten — das ist mehr!

Elisabeth.

3185 Man überlasse mich mir selbst! Bei Menschen ist
Nicht Rat noch Trost in dieser großen Sache.
Ich trage sie dem höhern Richter vor.
Was der mich lehrt, das will ich thun — Entfernt euch,
Mylords!

Zu Davison.

Ihr, Sir, könnt in der Nähe bleiben!

Die Lords gehen ab. Shrewsbury allein bleibt noch einige Augenblicke vor
der Königin stehen, mit bedeutungsvollem Blick, dann entfernt er sich lang=
sam, mit einem Ausdruck des tiefsten Schmerzes.

Zehnter Auftritt.

Elisabeth allein.

3190 O Sklaverei des Volksdiensts! Schmähliche
Knechtschaft — Wie bin ich's müde, diesem Götzen
Zu schmeicheln, den mein Innerstes verachtet!

Wann soll ich frei auf diesem Throne stehn!
Die Meinung muß ich ehren, um das Lob
3195 Der Menge buhlen, einem Pöbel muß ich's
Recht machen, dem der Gaukler nur gefällt.
O, der ist noch nicht König, der der Welt
Gefallen muß! Nur der ist's, der bei seinem Thun
Nach keines Menschen Beifall braucht zu fragen.

3200   Warum hab' ich Gerechtigkeit geübt,
Willkür gehaßt mein Leben lang, daß ich
Für diese erste unvermeidliche
Gewaltthat selbst die Hände mir gefesselt!
Das Muster, das ich selber gab, verdammt mich!
3205 War ich tyrannisch, wie die spanische
Maria war, mein Vorfahr auf dem Thron, ich könnte
Jetzt ohne Tadel Königsblut verspritzen!
Doch war's denn meine eigne freie Wahl,
Gerecht zu sein? Die allgewaltige
3210 Notwendigkeit, die auch das freie Wollen
Der Könige zwingt, gebot mir diese Tugend.

    Umgeben rings von Feinden, hält mich nur
Die Volksgunst auf dem angefochtnen Thron.
Mich zu vernichten streben alle Mächte
3215 Des festen Landes. Unversöhnlich schleudert
Der röm'sche Papst den Bannfluch auf mein Haupt;
Mit falschem Bruderkuß verrät mich Frankreich,
Und offnen, wütenden Vertilgungskrieg
Bereitet mir der Spanier auf den Meeren.
3220 So steh' ich kämpfend gegen eine Welt,
Ein wehrlos Weib! Mit hohen Tugenden
Muß ich die Blöße meines Rechts bedecken,

Den Flecken meiner fürstlichen Geburt,
Wodurch der eigne Vater mich geschändet.
3225 Umsonst bedeck' ich ihn — Der Gegner Haß
Hat ihn entblößt, und stellt mir diese Stuart,
Ein ewig drohendes Gespenst, entgegen.

Nein, diese Furcht soll endigen!
Ihr Haupt soll fallen. Ich will Frieden haben!
3230 — Sie ist die Furie meines Lebens! mir
Ein Plagegeist vom Schicksal angeheftet.
Wo ich mir eine Freude, eine Hoffnung
Gepflanzt, da liegt die Höllenschlange mir
Im Wege. Sie entreißt mir den Geliebten,
3235 Den Bräut'gam raubt sie mir! Maria Stuart
Heißt jedes Unglück, das mich niederschlägt!
Ist sie aus den Lebendigen vertilgt,
Frei bin ich, wie die Luft auf den Gebirgen.

Stillschweigen.

Mit welchem Hohn sie auf mich niedersah,
3240 Als sollte mich der Blick zu Boden blitzen!
Ohnmächtige! Ich führe beß're Waffen;
Sie treffen tödlich, und du bist nicht mehr!

Mit raschem Schritt nach dem Tische gehend und die Feder ergreifend.

Ein Bastard bin ich dir? — Unglückliche!
Ich bin es nur, solang' du lebst und atmest.
3245 Der Zweifel meiner fürstlichen Geburt,
Er ist getilgt, sobald ich dich vertilge.
Sobald dem Britten keine Wahl mehr bleibt,
Bin ich im echten Ehebett geboren!

Sie unterschreibt mit einem raschen, festen Federzug, läßt dann die Feder
fallen und tritt mit einem Ausdruck des Schreckens zurück. Nach einer
Pause klingelt sie.

Elfter Auftritt.

Elisabeth. Davison.

Elisabeth.

Wo sind die andern Lords?

Davison.

           Sie sind gegangen,

3250 Das aufgebrachte Volk zur Ruh zu bringen.
Das Toben war auch augenblicks gestillt,
Sobald der Graf von Shrewsbury sich zeigte.
„Der ist's, das ist er!" riefen hundert Stimmen;
„Der rettete die Königin! Hört ihn,

3255 Den bravsten Mann in England!" Nun begann
Der edle Talbot und verwies dem Volk
In sanften Worten sein gewaltsames
Beginnen, sprach so kraftvoll überzeugend,
Daß alles sich besänftigte und still

3260 Vom Platze schlich.

Elisabeth.

          Die wankelmüt'ge Menge,
Die jeder Wind herumtreibt! Wehe dem,
Der auf dies Rohr sich lehnet! — Es ist gut,
Sir Davison. Ihr könnt nun wieder gehn.

Wie sich jener nach der Thüre gewendet.

Und dieses Blatt — Nehmt es zurück — Ich leg's
3265 In Eure Hände.

Davison

wirft einen Blick in das Papier und erschrickt.

Königin!   Dein Name!

Du hast entschieden?

Elisabeth.

— Unterschreiben sollt' ich.

Ich hab's gethan.   Ein Blatt Papier entscheidet
Noch nicht, ein Name tötet nicht.

Davison.

Dein Name, Königin, unter dieser Schrift
3270 Entscheidet alles, tötet, ist ein Strahl
Des Donners, der geflügelt trifft — Dies Blatt
Befiehlt den Kommissarien, dem Sherif,
Nach Fotheringhayschloß sich steh'nden Fußes
Zur Königin von Schottland zu verfügen,
3275 Den Tod ihr anzukündigen, und schnell,
Sobald der Morgen tagt, ihn zu vollziehn.
Hier ist kein Aufschub!   Jene hat gelebt,
Wenn ich dies Blatt aus meinen Händen gebe.

Elisabeth.

Ja, Sir!   Gott legt ein wichtig groß Geschick
3280 In Eure schwachen Hände.   Fleht ihn an,
Daß er mit seiner Weisheit Euch erleuchte!
Ich geh' und überlaß' Euch Eurer Pflicht.

Sie will gehen.

Davison tritt ihr in den Weg.

Nein, meine Königin!   Verlaß mich nicht,
Eh du mir deinen Willen kund gethan.
3285 Bedarf es hier noch einer andern Weisheit,
Als dein Gebot buchstäblich zu befolgen?
— Du legst dies Blatt in meine Hand, daß ich
Zu schleuniger Vollziehung es befördre?

Elifabeth.

Das werdet Ihr nach Eurer Klugheit —

Davison
schnell und erschrocken einfallend.

Nicht

3290 Nach meiner! Das verhüte Gott! Gehorsam
Ist meine ganze Klugheit. Deinem Diener
Darf hier nichts zu entscheiden übrig bleiben.
Ein klein Versehn wär' hier ein Königsmord,
Ein unabsehbar, ungeheures Unglück.

3295 Vergönne mir, in dieser großen Sache
Dein blindes Werkzeug willenlos zu sein!
In klare Worte fasse deine Meinung,
Was soll mit diesem Blutbefehl geschehn?

Elifabeth.

— Sein Name spricht es aus.

Davison.

3300 So willst du, daß er gleich vollzogen werde?

Elifabeth zögernd.

Das sag' ich nicht, und zittre, es zu denken.

Davison.

Du willst, daß ich ihn länger noch bewahre?

Elifabeth schnell.

Auf Eure Gefahr! Ihr haftet für die Folgen.

Davison.

Ich? Heil'ger Gott! — Sprich, Königin! Was willst du?

Elifabeth ungeduldig.

3305 Ich will, daß dieser unglückfel'gen Sache
Nicht mehr gedacht soll werden, daß ich endlich
Will Ruhe davor haben und auf ewig.

Davison.

Es kostet dir ein einzig Wort. O, sage,
Bestimme, was mit dieser Schrift soll werden!

Elisabeth.

3310 Ich hab's gesagt, und quält mich nun nicht weiter!

Davison.

Du hättest es gesagt? Du hast mir nichts
Gesagt — O, es gefalle meiner Königin,
Sich zu erinnern.

Elisabeth stampft auf den Boden.
Unerträglich!

Davison.
　　　　　　　　　Habe Nachsicht
Mit mir! Ich kam seit wenig Monden erst
3315 In dieses Amt! Ich kenne nicht die Sprache
Der Höfe und der Könige — In schlicht
Einfacher Sitte bin ich aufgewachsen;
Drum habe du Geduld mit deinem Knecht!
Laß dich das Wort nicht reun, das mich belehrt,
3320 Mich klar macht über meine Pflicht —

Er nähert sich ihr in flehender Stellung, sie kehrt ihm den Rücken zu, er steht in Verzweiflung, dann spricht er mit entschloßnem Ton.

Nimm dies Papier zurück! Nimm es zurück!
Es wird mir glühend Feuer in den Händen.
Nicht mich erwähle, dir in diesem furchtbaren
Geschäft zu dienen!

Elisabeth.
　　　　　　Thut, was Eures Amts ist!
Sie geht ab.

Zwölfter Auftritt.

Davison, gleich darauf Burleigh.

Davison.

3325 Sie geht! Sie läßt mich ratlos, zweifelnd stehn
Mit diesem fürchterlichen Blatt — Was thu' ich?
Soll ich's bewahren? Soll ich's übergeben?

Zu Burleigh, der hereintritt.

O, gut, gut, daß Ihr kommt, Mylord! Ihr seid's,
Der mich in dieses Staatsamt eingeführt.
3330 Befreiet mich davon! Ich übernahm es,
Unkundig seiner Rechenschaft! Laßt mich
Zurückgehn in die Dunkelheit, wo Ihr
Mich fandet, ich gehöre nicht auf diesen Platz —

Burleigh.

Was ist Euch, Sir? Faßt Euch! Wo ist das Urteil?
3335 Die Königin ließ Euch rufen.

Davison.

Sie verließ mich
In heft'gem Zorn. O, ratet mir! Helft mir!
Reißt mich aus dieser Höllenangst des Zweifels!
Hier ist das Urteil — Es ist unterschrieben.

Burleigh hastig.

Ist es? O, gebt! Gebt her!

Davison.

Ich darf nicht.

Burleigh.

Was?

Davison.

3340 Sie hat mir ihren Willen noch nicht deutlich —

Burleigh.

Nicht deutlich! Sie hat unterschrieben. Gebt!

Davison.

Ich soll's vollziehen lassen — soll es nicht
Vollziehen lassen — Gott! Weiß ich, was ich soll?

Burleigh heftiger dringend.

Gleich, augenblicks sollt Ihr's vollziehen lassen.
3345 Gebt her! Ihr seid verloren, wenn Ihr säumt.

Davison.

Ich bin verloren, wenn ich's übereile.

Burleigh.

Ihr seid ein Thor! Ihr seid von Sinnen! Gebt!
Er entreißt ihm die Schrift und eilt damit ab.

Davison ihm nacheilend.

Was macht Ihr? Bleibt! Ihr stürzt mich in's Verderben!

Fünfter Aufzug.

Die Scene ist das Zimmer des ersten Aufzugs.

Erster Auftritt.

Hanna Kennedy in tiefe Trauer gekleidet, mit verweinten Augen und einem großen, aber stillen Schmerz, ist beschäftigt, Pakete und Briefe zu versiegeln. Oft unterbricht sie der Jammer in ihrem Geschäft, und man sieht sie dazwischen still beten. Paulet und Drury, gleichfalls in schwarzen Kleidern, treten ein, ihnen folgen viele Bediente, welche goldne und silberne Gefäße, Spiegel, Gemälde und andere Kostbarkeiten tragen und den Hintergrund des Zimmers damit anfüllen. Paulet überliefert der Amme ein Schmuckkästchen nebst einem Papier und bedeutet ihr durch Zeichen, daß es ein Verzeichnis der gebrachten Dinge enthalte. Beim Anblick dieser Reichtümer erneuert sich der Schmerz der Amme; sie versinkt in ein tiefes Trauern, indem jene sich still wieder entfernen. Melvil tritt ein.

Kennedy

schreit auf, sobald sie ihn gewahr wird.

Melvil! Ihr seid es! Euch erblick' ich wieder!

Melvil.

3350 Ja, treue Kennedy, wir sehn uns wieder!

Kennedy.

Nach langer, langer, schmerzenvoller Trennung!

Melvil.

Ein unglückselig, schmerzvoll Wiedersehn!

(163)

Kennedy.

O Gott! Ihr kommt —

Melvil.

                    Den letzten, ewigen
Abschied von meiner Königin zu nehmen.

Kennedy.

3355 Jetzt endlich, jetzt am Morgen ihres Todes,
Wird ihr die langentbehrte Gegenwart
Der Ihrigen vergönnt — O teurer Sir,
Ich will nicht fragen, wie es Euch erging,
Euch nicht die Leiden nennen, die wir litten,
3360 Seitdem man Euch von unsrer Seite riß.
Ach, dazu wird wohl einst die Stunde kommen!
O Melvil! Melvil! Mußten wir's erleben,
Den Anbruch dieses Tags zu sehn!

Melvil.

                            Laßt uns
Einander nicht erweichen! Weinen will ich,
3365 Solang' noch Leben in mir ist; nie soll
Ein Lächeln diese Wangen mehr erheitern,
Nie will ich dieses nächtliche Gewand
Mehr von mir legen! Ewig will ich trauern;
Doch heute will ich standhaft sein — Versprecht
3370 Auch Ihr mir, Euren Schmerz zu mäßigen —
Und wenn die andern alle der Verzweiflung
Sich trostlos überlassen, lasset uns
Mit männlich edler Fassung ihr vorangehn
Und ihr ein Stab sein auf dem Todesweg!

Kennedy.

3375 Melvil! Ihr seid im Irrtum, wenn Ihr glaubt,
Die Königin bedürfe unsers Beistands,

Um standhaft in den Tod zu gehn! Sie selber ist's,
Die uns das Beispiel edler Fassung giebt.
Seid ohne Furcht! Maria Stuart wird
3380 Als eine Königin und Heldin sterben.

Melvil.

Nahm sie die Todespost mit Fassung auf?
Man sagt, daß sie nicht vorbereitet war.

Kennedy.

Das war sie nicht. Ganz andre Schrecken waren's,
Die meine Lady ängstigten. Nicht vor dem Tod,
3385 Vor dem Befreier zitterte Maria.
— Freiheit war uns verheißen. Diese Nacht
Versprach uns Mortimer von hier wegzuführen,
Und zwischen Furcht und Hoffnung, zweifelhaft,
Ob sie dem kecken Jüngling ihre Ehre
3390 Und fürstliche Person vertrauen dürfe,
Erwartete die Königin den Morgen.
— Da wird ein Auflauf in dem Schloß, ein Pochen
Schreckt unser Ohr, und vieler Hämmer Schlag.
Wir glauben, die Befreier zu vernehmen,
3395 Die Hoffnung winkt, der süße Trieb des Lebens
Wacht unwillkürlich, allgewaltig auf —
Da öffnet sich die Thür — Sir Paulet ist's,
Der uns verkündigt — daß — die Zimmerer
Zu unsern Füßen das Gerüst aufschlagen!

Sie wendet sich ab, von heftigem Schmerz ergriffen.

Melvil.

3400 Gerechter Gott! O, sagt mir! wie ertrug
Maria diesen fürchterlichen Wechsel?

Kennedy

nach einer Pause, worin sie sich wieder etwas gefaßt hat.

Man löst sich nicht allmählich von dem Leben!
Mit Einem Mal, schnell, augenblicklich muß
Der Tausch geschehen zwischen Zeitlichem
3405 Und Ewigem, und Gott gewährte meiner Lady
In diesem Augenblick, der Erde Hoffnung
Zurück zu stoßen mit entschloßner Seele,
Und glaubenvoll den Himmel zu ergreifen.
Kein Merkmal bleicher Furcht, kein Wort der Klage
3410 Entehrte meine Königin — Dann erst,
Als sie Lord Lesters schändlichen Verrat
Vernahm, das unglückselige Geschick
Des werten Jünglings, der sich ihr geopfert,
Des alten Ritters tiefen Jammer sah,
3415 Dem seine letzte Hoffnung starb durch sie,
Da flossen ihre Thränen; nicht das eigne Schicksal,
Der fremde Jammer preßte sie ihr ab.

Melvil.

Wo ist sie jetzt?		Könnt Ihr mich zu ihr bringen?

Kennedy.

Den Rest der Nacht durchwachte sie mit Beten,
3420 Nahm von den teuern Freunden schriftlich Abschied
Und schrieb ihr Testament mit eigner Hand.
Jetzt pflegt sie einen Augenblick der Ruh,
Der letzte Schlaf erquickt sie.

Melvil.
						Wer ist bei ihr?

Kennedy.

Ihr Leibarzt Burgoyn und ihre Frauen.

Zweiter Auftritt.

Margareta Kurl zu den Vorigen.

Kennedy.

3425 Was bringt Ihr, Mistreß? Ist die Lady wach?

Kurl ihre Thränen trocknend.

Schon angekleidet — Sie verlangt nach Euch.

Kennedy.

Ich komme.

Zu Melvil, der sie begleiten will.

Folgt mir nicht, bis ich die Lady
Auf Euren Anblick vorbereitet!

Geht hinein.

Kurl.

Melvil!

Der alte Haushofmeister!

Melvil.

Ja, der bin ich!

Kurl.

3430 O, dieses Haus braucht keines Meisters mehr!
— Melvil! Ihr kommt von London. Wißt Ihr mir
Von meinem Manne nichts zu sagen?

Melvil.

Er wird auf freien Fuß gesetzt, sagt man,
Sobald —

Kurl.

Sobald die Königin nicht mehr ist!

3435 O der nichtswürdig schändliche Verräter!
Er ist der Mörder dieser teuren Lady;
Sein Zeugnis, sagt man, habe sie verurteilt.

Melvil.

So ist's.

Kurl.

O, seine Seele sei verflucht
Bis in die Hölle! Er hat falsch gezeugt —

Melvil.

3440 Mylady Kurl! Bedenket Eure Reden!

Kurl.

Beschwören will ich's vor Gerichtes Schranken,
Ich will es ihm ins Antlitz wiederholen,
Die ganze Welt will ich damit erfüllen.
Sie stirbt unschuldig —

Melvil.

O, das gebe Gott!

Dritter Auftritt.

Burgoyn zu den Vorigen. Hernach Hanna Kennedy.

Burgoyn erblickt Melvil.

3445 O Melvil!

Melvil ihn umarmend.

Burgoyn!

Burgoyn zu Margareta Kurl.

Besorget einen Becher
Mit Wein für unsre Lady! Machet hurtig!

Kurl geht ab.

Melvil.

Wie? Ist der Königin nicht wohl?

Burgoyn.

Sie fühlt sich stark, sie täuscht ihr Heldenmut,
Und keiner Speise glaubt sie zu bedürfen;
3450 Doch ihrer wartet noch ein schwerer Kampf,
Und ihre Feinde sollen sich nicht rühmen,
Daß Furcht des Todes ihre Wangen bleichte,
Wenn die Natur aus Schwachheit unterliegt.

Melvil zur Amme, die hereintritt.

Will sie mich sehn?

Kennedy.

Gleich wird sie selbst hier sein.
3455 — Ihr scheint Euch mit Verwundrung umzusehn,
Und Eure Blicke fragen mich: Was soll
Das Prachtgerät in diesem Ort des Todes?
— O Sir! Wir litten Mangel, da wir lebten,
Erst mit dem Tode kommt der Überfluß zurück.

———

Vierter Auftritt.

Vorige. Zwei andre Kammerfrauen der Maria, gleich=
falls in Trauerkleidern. Sie brechen bei Melvils Anblick in laute
Thränen aus.

Melvil.

3460 Was für ein Anblick! Welch ein Wiedersehn!
Gertrude! Rosamund!

Zweite Kammerfrau.

Sie hat uns von sich
Geschickt! Sie will zum letztenmal allein
Mit Gott sich unterhalten!

Es kommen noch zwei weibliche Bediente, wie die vorigen in Trauer, die mit
stummen Gebärden ihren Jammer ausdrücken.

Fünfter Auftritt.

Margareta Kurl zu den Vorigen. Sie trägt einen goldnen
Becher mit Wein, und setzt ihn auf den Tisch, indem sie sich bleich
und zitternd an einen Stuhl hält.

Melvil.

Was ist Euch, Mistreß? Was entsetzt Euch so?

Kurl.

3465 O Gott!

Burgoyn.

Was habt Ihr?

Kurl.

Was mußt' ich erblicken!

Melvil.

Kommt zu Euch! Sagt uns, was es ist!

Kurl.

Als ich
Mit diesem Becher Wein die große Treppe
Herauf stieg, die zur untern Halle führt,
Da that die Thür sich auf — ich sah hinein —
3470 Ich sah — o Gott! —

Melvil.

Was saht Ihr?   Fasset Euch!

Kurl.

Schwarz überzogen waren alle Wände,
Ein groß Gerüst, mit schwarzem Tuch beschlagen,
Erhob sich von dem Boden, mitten drauf
Ein schwarzer Block, ein Kissen, und daneben
3475 Ein blankgeschliffnes Beil — Voll Menschen war
Der Saal, die um das Mordgerüst sich drängten
Und, heiße Blutgier in dem Blick, das Opfer
Erwarteten.

Die Kammerfrauen.

O Gott sei unsrer Lady gnädig!

Melvil.

Faßt Euch!   Sie kommt!

Sechster Auftritt.

Die Vorigen.   Maria.   Sie ist weiß und festlich gekleidet;
am Halse trägt sie an einer Kette von kleinen Kugeln ein Agnus Dei,
ein Rosenkranz hängt am Gürtel herab, sie hat ein Kruzifix in der
Hand und ein Diadem in den Haaren, ihr großer schwarzer Schleier
ist zurückgeschlagen.   Bei ihrem Eintritt weichen die Anwesenden
zu beiden Seiten zurück und drücken den heftigsten Schmerz aus.
Melvil ist mit einer unwillkürlichen Bewegung auf die Kniee ge-
sunken.

Maria
mit ruhiger Hoheit im ganzen Kreise herumsehend.

3480 Was klagt ihr?   Warum weint ihr?   Freuen solltet
Ihr euch mit mir, daß meiner Leiden Ziel

Nun endlich naht, daß meine Bande fallen,
Mein Kerker aufgeht, und die frohe Seele sich
Auf Engelsflügeln schwingt zur ew'gen Freiheit.
3485 Da, als ich in die Macht der stolzen Feindin
Gegeben war, Unwürdiges erduldend,
Was einer freien, großen Königin
Nicht ziemt, da war es Zeit, um mich zu weinen!
— Wohlthätig, heilend, nahet mir der Tod,
3490 Der ernste Freund! Mit seinen schwarzen Flügeln
Bedeckt er meine Schmach — Den Menschen adelt,
Den tiefgesunkenen, das letzte Schicksal.
Die Krone fühl' ich wieder auf dem Haupt,
Den würd'gen Stolz in meiner edeln Seele!

Indem sie einige Schritte weiter vortritt.

3495 Wie? Melvil hier? — Nicht also, edler Sir!
Steht auf! Ihr seid zu Eurer Königin
Triumph, zu ihrem Tode nicht gekommen.
Mir wird ein Glück zu teil, wie ich es nimmer
Gehoffet, daß mein Nachruhm doch nicht ganz
3500 In meiner Feinde Händen ist, daß doch
Ein Freund mir, ein Bekenner meines Glaubens,
Als Zeuge dasteht in der Todesstunde.
— Sagt, edler Ritter! Wie erging es Euch
In diesem feindlichen, unholden Lande,
3505 Seitdem man Euch von meiner Seite riß?
Die Sorg' um Euch hat oft mein Herz bekümmert.

Melvil.

Mich drückte sonst kein Mangel als der Schmerz
Um dich, und meine Ohnmacht, dir zu dienen!

Maria.

Wie steht's um Didier, meinen alten Kämmrer?

3510 Doch der Getreue schläft wohl lange schon
Den ew'gen Schlaf, denn er war hoch an Jahren.

Melvil.

Gott hat ihm diese Gnade nicht erzeigt,
Er lebt, um deine Jugend zu begraben.

Maria.

Daß mir vor meinem Tode noch das Glück
3515 Geworden wäre, ein geliebtes Haupt
Der teuern Blutsverwandten zu umfassen!
Doch ich soll sterben unter Fremdlingen,
Nur eure Thränen soll ich fließen sehn!
— Melvil, die letzten Wünsche für die Meinen
3520 Leg' ich in Eure treue Brust — Ich segne
Den allerchristlichsten König, meinen Schwager,
Und Frankreichs ganzes königliches Haus —
Ich segne meinen Ohm, den Kardinal,
Und Heinrich Guise, meinen edlen Vetter.
3525 Ich segne auch den Papst, den heiligen
Statthalter Christi, der mich wieder segnet,
Und den kathol'schen König, der sich edelmütig
Zu meinem Retter, meinem Rächer anbot —
Sie alle stehn in meinem Testament;
3530 Sie werden die Geschenke meiner Liebe,
Wie arm sie sind, darum gering nicht achten.

Sich zu ihren Dienern wendend.

Euch hab' ich meinem königlichen Bruder
Von Frankreich anempfohlen, er wird sorgen
Für euch, ein neues Vaterland euch geben.
3535 Und ist euch meine letzte Bitte wert,
Bleibt nicht in England, daß der Britte nicht
Sein stolzes Herz an eurem Unglück weide,

Nicht die im Staube seh', die mir gedient.
Bei diesem Bildnis des Gekreuzigten
3540 Gelobet mir, dies unglücksel'ge Land
Alsbald, wenn ich dahin bin, zu verlassen!

Melvil berührt das Kruzifix.

Ich schwöre dir's im Namen dieser aller.

Maria.

Was ich, die Arme, die Beraubte, noch besaß,
Worüber mir vergönnt ist frei zu schalten,
3545 Das hab' ich unter euch verteilt; man wird,
Ich hoff' es, meinen letzten Willen ehren.
Auch was ich auf dem Todeswege trage,
Gehöret euch — Vergönnet mir noch einmal
Der Erde Glanz auf meinem Weg zum Himmel!

Zu den Fräulein.

3550 Dir, meine Alix, Gertrud, Rosamund,
Bestimm' ich meine Perlen, meine Kleider,
Denn eure Jugend freut sich noch des Putzes.
Du, Margareta, hast das nächste Recht
An meine Großmut, denn ich lasse dich
3555 Zurück als die Unglücklichste von allen.
Daß ich des Gatten Schuld an dir nicht räche,
Wird mein Vermächtnis offenbaren — Dich,
O meine treue Hanna, reizet nicht
Der Wert des Goldes, nicht der Steine Pracht,
3560 Dir ist das höchste Kleinod mein Gedächtnis.
Nimm dieses Tuch! Ich hab's mit eigner Hand
Für dich gestickt in meines Kummers Stunden,
Und meine heißen Thränen eingewoben.
Mit diesem Tuch wirst du die Augen mir verbinden,

3565 Wenn es so weit ist — diesen letzten Dienst
Wünsch' ich von meiner Hanna zu empfangen.

Kennedy.

O Melvil! Ich ertrag' es nicht!

Maria.

Kommt alle!
Kommt und empfangt mein letztes Lebewohl!

*Sie reicht ihre Hände hin; eins nach dem andern fällt ihr zu Füßen und küßt
die dargebotne Hand unter heftigem Weinen.*

Leb' wohl, Margreta — Alix, lebe wohl —
3570 Dank, Burgoyn, für Eure treuen Dienste —
Dein Mund brennt heiß, Gertrude — Ich bin viel
Gehasset worden, doch auch viel geliebt!
Ein edler Mann beglücke meine Gertrud,
Denn Liebe fordert dieses glüh'nde Herz —
3575 Bertha! Du hast das beßre Teil erwählt,
Die keusche Braut des Himmels willst du werden!
O, eile, dein Gelübde zu vollziehn!
Betrüglich sind die Güter dieser Erden,
Das lern' an deiner Königin! Nichts weiter!
3580 Lebt wohl! Lebt wohl! Lebt ewig wohl!

Sie wendet sich schnell von ihnen; alle, bis auf Melvil, entfernen sich.

Siebenter Auftritt.

Maria. Melvil.

Maria.

Ich habe alles Zeitliche berichtigt,
Und hoffe keines Menschen Schuldnerin
Aus dieser Welt zu scheiden — Eins nur ist's,

Melvil, was der beklemmten Seele noch
3585 Verwehrt, sich frei und freudig zu erheben.

Melvil.

Entdecke mir's! Erleichtre deine Brust,
Dem treuen Freund vertraue deine Sorgen!

Maria.

Ich stehe an dem Rand der Ewigkeit;
Bald soll ich treten vor den höchsten Richter,
3590 Und noch hab' ich den Heil'gen nicht versöhnt.
Versagt ist mir der Priester meiner Kirche.
Des Sakramentes heil'ge Himmelspeise
Verschmäh' ich aus den Händen falscher Priester.
Im Glauben meiner Kirche will ich sterben,
3595 Denn der allein ist's, welcher selig macht.

Melvil.

Beruhige dein Herz! Dem Himmel gilt
Der feurig fromme Wunsch statt des Vollbringens.
Tyrannenmacht kann nur die Hände fesseln,
Des Herzens Andacht hebt sich frei zu Gott;
3600 Das Wort ist tot, der Glaube macht lebendig.

Maria.

Ach, Melvil! Nicht allein genug ist sich
Das Herz, ein irdisch Pfand bedarf der Glaube,
Das hohe Himmlische sich zuzueignen.
Drum ward der Gott zum Menschen, und verschloß
3605 Die unsichtbaren himmlischen Geschenke
Geheimnisvoll in einen sichtbar'n Leib.
— Die Kirche ist's, die heilige, die hohe,
Die zu dem Himmel uns die Leiter baut;
Die allgemeine, die kathol'sche heißt sie,

3610 Denn nur der Glaube aller stärkt den Glauben;
　　　Wo Tausende anbeten und verehren,
　　　Da wird die Glut zur Flamme, und beflügelt
　　　Schwingt sich der Geist in alle Himmel auf.
　　　— Ach, die Beglückten, die das froh geteilte
3615 Gebet versammelt in dem Haus des Herrn!
　　　Geschmückt ist der Altar, die Kerzen leuchten,
　　　Die Glocke tönt, der Weihrauch ist gestreut,
　　　Der Bischof steht im reinen Meßgewand,
　　　Er faßt den Kelch, er segnet ihn, er kündet
3620 Das hohe Wunder der Verwandlung an,
　　　Und niederstürzt dem gegenwärt'gen Gotte
　　　Das gläubig überzeugte Volk — Ach! Ich
　　　Allein bin ausgeschlossen, nicht zu mir
　　　In meinen Kerker dringt der Himmelsegen.

Melvil.

3625 Er bringt zu dir! Er ist dir nah! Vertraue
　　　Dem Allvermögenden — der dürre Stab
　　　Kann Zweige treiben in des Glaubens Hand!
　　　Und der die Quelle aus dem Felsen schlug,
　　　Kann dir im Kerker den Altar bereiten,
3630 Kann diesen Kelch, die irdische Erquickung,
　　　Dir schnell in eine himmlische verwandeln.

　　　　　Er ergreift den Kelch, der auf dem Tische steht.

Maria.

　　　Melvil! Versteh' ich Euch? Ja! Ich versteh' Euch!
　　　Hier ist kein Priester, keine Kirche, kein
　　　Hochwürdiges — Doch der Erlöser spricht:
3635 Wo zwei versammelt sind in meinem Namen,
　　　Da bin ich gegenwärtig unter ihnen.
　　　Was weiht den Priester ein zum Mund des Herrn?

Das reine Herz, der unbefleckte Wandel.
— So seid Ihr mir, auch ungeweiht, ein Priester,
3640 Ein Bote Gottes, der mir Frieden bringt.
— Euch will ich meine letzte Beichte thun,
Und Euer Mund soll mir das Heil verkünden.

Melvil.

Wenn dich das Herz so mächtig dazu treibt,
So wisse, Königin, daß dir zum Troste
3645 Gott auch ein Wunder wohl verrichten kann.
Hier sei kein Priester, sagst du, keine Kirche,
Kein Leib des Herrn? — Du irrest dich. Hier ist
Ein Priester, und ein Gott ist hier zugegen.

Er entblößt bei diesen Worten das Haupt, zugleich zeigt er ihr eine Hostie
in einer goldenen Schale.

— Ich bin ein Priester; deine letzte Beichte
3650 Zu hören, dir auf deinem Todesweg
Den Frieden zu verkündigen, hab' ich
Die sieben Weih'n auf meinem Haupt empfangen,
Und diese Hostie überbring' ich dir
Vom heil'gen Vater, die er selbst geweihet.

Maria.

3655 O, so muß an der Schwelle selbst des Todes
Mir noch ein himmlisch Glück bereitet sein!
Wie ein Unsterblicher auf goldnen Wolken
Herniederfährt, wie den Apostel einst
Der Engel führte aus des Kerkers Banden,
3660 Ihn hält kein Riegel, keines Hüters Schwert,
Er schreitet mächtig durch verschloss'ne Pforten,
Und im Gefängnis steht er glänzend da,
So überrascht mich hier der Himmelsbote,
Da jeder ird'sche Retter mich getäuscht!

3665 — Und Ihr, mein Diener einst, seid jetzt der Diener
Des höchsten Gottes, und sein heil'ger Mund!
Wie Eure Kniee sonst vor mir sich beugten,
So lieg' ich jetzt im Staub vor Euch.

Sie sinkt vor ihm nieder.

Melvil
indem er das Zeichen des Kreuzes über sie macht.

Im Namen
Des Vaters und des Sohnes und des Geistes!
3670 Maria, Königin! Haft du dein Herz
Erforschet, schwörst du und gelobest du,
Wahrheit zu beichten vor dem Gott der Wahrheit?

Maria.

Mein Herz liegt offen da vor dir und ihm.

Melvil.

Sprich, welcher Sünde zeiht dich dein Gewissen,
3675 Seitdem du Gott zum letzten Mal versöhnt?

Maria.

Von neid'schem Hasse war mein Herz erfüllt,
Und Rachgedanken tobten in dem Busen
Vergebung hofft' ich Sünderin von Gott,
Und konnte nicht der Gegnerin vergeben.

Melvil.

3680 Bereuest du die Schuld, und ist's dein ernster
Entschluß, versöhnt aus dieser Welt zu scheiden?

Maria.

So wahr ich hoffe, daß mir Gott vergebe.

Melvil.

Welch andrer Sünde klagt das Herz dich an?

Maria.

Ach, nicht durch Haß allein, durch fünd'ge Liebe
3685 Noch mehr hab' ich das höchste Gut beleidigt.
Das eitle Herz ward zu dem Mann gezogen,
Der treulos mich verlassen und betrogen!

Melvil.

Bereuest du die Schuld, und hat dein Herz
Vom eiteln Abgott sich zu Gott gewendet?

Maria.

3690 Es war der schwerste Kampf, den ich bestand,
Zerrissen ist das letzte ird'sche Band.

Melvil.

Welch andrer Schuld verklagt dich dein Gewissen?

Maria.

Ach, eine frühe Blutschuld, längst gebeichtet,
Sie kehrt zurück mit neuer Schreckenskraft
3695 Im Augenblick der letzten Rechenschaft,
Und wälzt sich schwarz mir vor des Himmels Pforten.
Den König, meinen Gatten, ließ ich morden,
Und dem Verführer schenkt' ich Herz und Hand!
Streng büßt' ich's ab mit allen Kirchenstrafen,
3700 Doch in der Seele will der Wurm nicht schlafen.

Melvil.

Verklagt das Herz dich keiner andern Sünde,
Die du noch nicht gebeichtet und gebüßt?

Maria.

Jetzt weißt du alles, was mein Herz belastet.

Melvil.

Denk an die Nähe des Allwissenden!
3705 Der Strafen denke, die die heil'ge Kirche

Der mangelhaften Beichte droht! Das ist
Die Sünde zu dem ew'gen Tod, denn das
Ist wider seinen heil'gen Geist gefrevelt.

Maria.

So schenke mir die ew'ge Gnade Sieg
3710 Im letzten Kampf, als ich dir wissend nichts verschwieg.

Melvil.

Wie? Deinem Gott verhehlst du das Verbrechen,
Um dessentwillen dich die Menschen strafen?
Du sagst mir nichts von deinem blut'gen Anteil
An Babingtons und Parrys Hochverrat?
3715 Den zeitlichen Tod stirbst du für diese That,
Willst du auch noch den ew'gen dafür sterben?

Maria.

Ich bin bereit, zur Ewigkeit zu gehn;
Noch eh sich der Minutenzeiger wendet,
Werd' ich vor meines Richters Throne stehn;
3720 Doch wiederhol' ich's: meine Beichte ist vollendet.

Melvil.

Erwäg' es wohl! Das Herz ist ein Betrüger.
Du hast vielleicht mit list'gem Doppelsinn
Das Wort vermieden, das dich schuldig macht,
Obgleich der Wille das Verbrechen teilte.
3725 Doch wisse, keine Gaukelkunst berückt
Das Flammenauge, das ins Innre blickt!

Maria.

Ich habe alle Fürsten aufgeboten,
Mich aus unwürd'gen Banden zu befrein;
Doch nie hab' ich durch Vorsatz oder That
3730 Das Leben meiner Feindin angetastet!

Melvil.

So hätten deine Schreiber falsch gezeugt?

Maria.

Wie ich gesagt, so ist's. Was jene zeugten,
Das richte Gott!

Melvil.

So steigst du, überzeugt

Von deiner Unschuld, auf das Blutgerüste?

Maria.

3735 Gott würdigt mich, durch diesen unverdienten Tod
Die frühe schwere Blutschuld abzubüßen.

Melvil macht den Segen über sie.

So gehe hin, und sterbend büße sie!
Sink, ein ergebnes Opfer, am Altare!
Blut kann versöhnen, was das Blut verbrach;
3740 Du fehltest nur aus weiblichem Gebrechen,
Dem sel'gen Geiste folgen nicht die Schwächen
Der Sterblichkeit in die Verklärung nach.
Ich aber künde dir, kraft der Gewalt,
Die mir verliehen ist, zu lösen und zu binden,
3745 Erlassung an von allen deinen Sünden!
Wie du geglaubet, so geschehe dir!

Er reicht ihr die Hostie.

Nimm hin den Leib, er ist für dich geopfert!

Er ergreift den Kelch, der auf dem Tische steht, konsekriert ihn mit stillem
Gebet, dann reicht er ihr denselben. Sie zögert, ihn anzunehmen, und
weist ihn mit der Hand zurück.

Nimm hin das Blut, es ist für dich vergossen!
Nimm hin! Der Papst erzeigt dir diese Gunst!
3750 Im Tode noch sollst du das höchste Recht
Der Könige, das priesterliche, üben!

Sie empfängt den Kelch.

Und wie du jetzt dich in dem ird'schen Leib
Geheimnißvoll mit deinem Gott verbunden,
So wirst du dort in seinem Freudenreich,
3755 Wo keine Schuld mehr sein wird und kein Weinen,
Ein schön verklärter Engel, dich
Auf ewig mit dem Göttlichen vereinen.

Er setzt den Kelch nieder. Auf ein Geräusch, das gehört wird, bedeckt er
sich das Haupt und geht an die Thüre; Maria bleibt in stiller Andacht
auf den Knien liegen.

Melvil zurückkommend.

Dir bleibt ein harter Kampf noch zu bestehn.
Fühlst du dich stark genug, um jede Regung
3760 Der Bitterkeit, des Hasses zu besiegen?

Maria.

Ich fürchte keinen Rückfall. Meinen Haß
Und meine Liebe hab' ich Gott geopfert.

Melvil.

Nun, so bereite dich, die Lords von Lester
Und Burleigh zu empfangen. Sie sind da.

Achter Auftritt.

Die Vorigen. Burleigh. Leicester und Paulet. Leicester bleibt ganz in der Entfernung stehen, ohne die Augen auf-
zuschlagen. Burleigh, der seine Fassung beobachtet, tritt zwischen
ihn und die Königin.

Burleigh.

3765 Ich komme, Lady Stuart, Eure letzten
Befehle zu empfangen.

Maria.

Dank, Mylord!

Burleigh.

Es ist der Wille meiner Königin,
Daß Euch nichts Billiges verweigert werde.

Maria.

Mein Testament nennt meine letzten Wünsche.
3770 Ich hab's in Ritter Paulets Hand gelegt,
Und bitte, daß es treu vollzogen werde.

Paulet.

Verlaßt Euch drauf!

Maria.

Ich bitte, meine Diener ungekränkt
Nach Schottland zu entlassen oder Frankreich,
3775 Wohin sie selber wünschen und begehren.

Burleigh.

Es sei, wie Ihr es wünscht.

Maria.

Und weil mein Leichnam
Nicht in geweihter Erde ruhen soll,
So dulde man, daß dieser treue Diener
Mein Herz nach Frankreich bringe zu den Meinen.
3780 — Ach! Es war immer dort!

Burleigh.

Es soll geschehn.
Habt Ihr noch sonst —

Maria.

Der Königin von England
Bringt meinen schwesterlichen Gruß — Sagt ihr,